LA CORDE AU COU

Dépôt légal : 2e trimestre de 1974
Bibliothèque nationale du Québec

CLAUDE JASMIN

LA CORDE AU COU

roman

LE CERCLE DU LIVRE DE FRANCE LTÉE
8955 BOUL. ST-LAURENT, MONTRÉAL

CHAPITRE PREMIER

Pourquoi aurais-je du remords ? Pourquoi continuer d'y penser ? Elle est morte. Morte, bien avant d'avoir avalé l'eau de la piscine. Là-haut, dans la chambre du vieux, elle a dû étouffer. Oui, oui, c'est cela. Elle avait commencé à mourir au moment même où nous sommes arrivés ici. Tout s'est passé si vite. Je pense cela, maintenant que tout a eu lieu, que tout est passé, que tout est fini. Mais tout s'est passé sans doute avec la même lenteur que le reste des choses de la vie. En effet, cette nuit, quand je la tenais sous l'eau tiède de cette piscine, le temps ne passait pas. Chaque instant durait une heure lorsque je serrais mes mains autour de sa tête pour la tenir submergée. Je regardais cette longue chaîne d'invités mondains de monsieur Driftman. Ils dansaient en rond, se tenant par la main, ils tournaient autour du chalet, autour des cabines de déshabillage, puis autour de la piscine, autour de moi. Ils me saluaient de la main, gais, ivres, gueulards, et moi fou de rage et de jalousie, j'étouffais calmement Suzanne. Où, comment trouvais-je la force, le cynisme de répondre à leurs saluts en agitant moi-même la main. Je tenais la tête de Suzanne entre mes jambes, elle ne bougeait plus. Enfin, je ne la sentais plus se débattre. Elle venait de cesser d'exister. Quand je desserrai les jambes, elle glissa entre mes genoux comme une pierre. Au même moment, je vis monsieur, oui, monsieur, je ne peux pas ne pas dire monsieur, je le vis, ce cher monsieur Driftman, ce cher, ce crésus monsieur Driftman. Il avait ouvert la fenêtre de sa chambre... Il m'apparut laid, horriblement laid dans sa nudité de graisse, sans cheveux, il avait le front tout rouge. Mais il l'était moins que lorsque je l'ai surpris il y a dix minutes, étendu sous le gracieux jeune corps de Suzanne.

Je le revois agiter les bras et appeler Suzanne, se tenant aux rideaux de la fenêtre, encore en proie à ce libidineux besoin de la posséder. Le gourmand, le laid cochon, le gâté, le pourri, il cherchait encore Suzanne. Il voulait la voir remonter à sa chambre pour qu'elle se donne et se redonne, jusqu'à ce que le porc s'endorme, béat et repu.

Je voulus, folie, folie, plonger et retrouver le corps inanimé de Suzanne, le sortir de l'eau au bout de mes deux bras et le lui montrer. Je nageais sous l'eau. La lune éclairait jusqu'à ce dessin bleu de poissons stylisés peint sur le ciment vert du fond de la piscine. Je ne la retrouvais plus ! Je tournais en tous sens, avalant de l'eau dans ma rage, mon énervement. Et soudain, l'affreuse chose, son bras qui m'entoura le le cou, mollement, celui d'une morte qui refaisait un geste amical et familier. Je faillis m'en noyer. Puis j'entendis ses cris, ceux du grossier monstre d'argent, et je ne pus empêcher ce coup de pied asséné dans son ventre. Je vis sa tête et ses longs cheveux noirs rejetés en arrière, comme dans une pose d'un ballet cinématographique tourné au ralenti. Avec peine, je sortis de la piscine. Chaque geste me paraissait impraticable. Une fois debout au bord de l'eau la longue filée de noceurs repassa devant moi. Je ne les voyais pas, ne les reconnaissais pas. Il me semblait qu'ils portaient des masques de carnaval, que leurs bouches étaient démesurément grandes ouvertes. Quelques-uns nus, la plupart en maillot de bain, ils m'apparurent comme le dessin animé de quelque vieille gravure d'un faux art grec ou romain érotique. Deux bras se lèvent devant mes yeux. Quelqu'un, quelle farce me replongeait dans la piscine ! Je sortis aussitôt pour voir monsieur Driftman s'approcher de moi avec une lenteur de juge. Il ne me regardait pas, il fixait l'eau verte de sa piscine. Je m'en allai, descendis quelques

marches, sous une série de hauts pins, derrière une haie
de cèdres courts où j'allai me blottir. Je n'avais pourtant pas envie de me cacher. Je tombai assis sur une
caisse de savons de luxe. J'étais vidé, j'étais un autre.
J'éprouvais enfin la sensation, si longtemps convoitée,
d'être quelqu'un de différent. Je ne savais pas encore
qui j'étais. Mais une immense déchirure s'était faite.
Je ne me retrouverais plus jamais. J'en étais heureux
et atterré en même temps. Maintenant, je me sentais
capable de tuer quelqu'un d'autre. Cela avait été si
facile. Si facile. Si délicieux. Si soulageant. Je me
surprenais à sourire et je frissonnais de tout mon
être. J'étais pris d'une gaieté absolument incontrôla-
ble. Suzanne n'existait plus et c'est moi qui avais
réalisé cette chose. Cette curieuse importance m'était
due. J'avais envie de m'en aller, calmement, et pourtant, je ne sais quel reste de conscience m'empêchait
de me lever tout de suite. Je regardais avec attention tous ces énormes bidons d'essence. Ces réservoirs
géants : l'eau pouvait être chauffée. Je revoyais les
thermostats plongés à différents endroits. Je voulus
remonter. La vue de cette folle installation, de ce
caprice de millionnaire me rechargeait de haine et
de violence. S'il était encore là debout à contempler
l'eau, je le jetterais dedans, lui aussi il en mourrait.
Je frappais des deux poings sur les réservoirs à eau.
J'écoutais, inconscient, les bruits sourds qui se réper-
cutaient dans la nuit. Et, encore, ce reste de conscience m'arrêta de frapper. Je compris alors qu'il fallait
que je me cache, et désormais, ce sentiment n'allait
plus me quitter. Et pourtant, je n'y tenais pas plus
que ça. Non, on pouvait bien me pendre, m'empri-
sonner, me juger, me condamner. J'étais heureux d'avoir
fait quelque chose, d'avoir enfin, enfin, enfin, réussi
à me débarrasser de... de je ne sais quoi, comme d'une
croûte épaisse qui, il me semble, m'avait toujours
enveloppé.

CHAPITRE DEUXIÈME

Cela n'a pas été long. Un coup sec. S'agit de savoir où, dans le cou, il faut frapper. Je lui ai enlevé sa faux. Il fallait me voir. Tout ce qu'on nous a appris sert à quelque chose. Je dis merci à la guerre. Merci, même merci aux entraînements. Des mercis à tous ceux-là qui m'enseignent l'endurcissement, jusqu'à la boucherie. N'étions-nous pas une solide poignée d'assassins en permission, cette année-là, en Europe ! N'étions-nous pas écœurants de courage, d'intrépidité. Merci à la guerre. C'est beau l'endurcissement. N'étions-nous pas tous devenus des meurtriers autorisés par la « patrie ».

J'aurais pu le tuer, facilement, un coup ou deux de plus. Facile, très facile. Mais, je n'ai pas grand mérite. Ces malheureux faucheurs du long des routes sont, pour la plupart, des petits vieux. La lie des chômeurs. Je dirais presque qu'il se laissait faire. Je l'ai caché sous cette meule de foin coupé, après lui avoir pris sa chemise à carreaux de faux paysan, son chapeau de paille providentiel, au bord si large ! Il faudrait se pencher bien bas pour me voir le visage. Quel visage je dois avoir ! Il y avait longtemps, si longtemps que je ne m'étais pas remis entre les bras virils de « l'endurcissement ». Tout m'est revenu, après tant d'années de ramollissement, causé par ce congé dans Paris avant le retour, et cette rencontre de ce petit Canadien, poète, futur prêtre ou futur fonctionnaire, évidemment, comme finissent toujours, toujours mal, ces petits Canadiens, poètes, à vingt ans, à Paris, amen ! « Eh ! que voulez-vous qu'il fît contre... contre son pays tout entier ». Oui, ce pays, mon cher pays, tant occupé par ses poussées économiques, son essor, son commerce. Pas de place pour les idées, pas de place pour les sentiments, pas de place pour ces fainéants, bouches inutiles, semence de désordre ! Bien dit, mon pays. Bravo. Tu dis juste et vrai, tu as raison. Les penseurs sont le poison d'une société jeune et en pleine expansion. Ils sont tous là à écrire qu'il faut faire attention, ne pas toujours poser le pied un devant l'autre sans y bien réfléchir, parfois le poser de travers et un peu de côté et ne pas craindre même de poser ce pied « inconscient » derrière, car... mais tu as raison, mon cher pays, fais-les taire.

Bref, ce petit Canadien, je lui dois ce ramollissement. Il a fait vite avec moi : en un mois de congé à Paris. Oui. Le matin, il me traînait aux galeries d'art, à midi aux terrasses des cafés, l'après-midi, à bouquiner et à me montrer du doigt les brillantes réflexions de tous ces hommes brillants que je ne connaissais même pas de nom. Vulgaire soldat ! Les soirs se passaient d'un théâtre à l'autre. C'est ainsi qu'en un seul mois, je contractai la maladie, ce virus effrayant du ramollissement. En trois temps, j'étais terrassé : un, curiosité, deux, découverte de mes ignorances en toute chose, trois, désir de comprendre, sinon d'aimer tout ce monde « intellectuel ».

Et le ramollissement vint. Et j'avais oublié que je pouvais noyer cette fille que j'aimais, que j'aimais si mal mais de tant de manières, comme moi-même. J'avais oublié complètement qu'il me serait facile d'assommer un vieux chômeur perpétuel, déguisé en honnête travailleur à une piastre de l'heure. J'avais oublié qui j'étais réellement, de quoi j'étais vraiment capable. Alors, maintenant, je sais que je me suis retrouvé. Moi, le vraiment moi, c'est-à-dire le violent, celui que j'ai toujours été, celui que je ne cesserai jamais plus d'être. Je m'étais égaré, perdu de vue. Au nom de cette maudite curiosité maladive, de ce virus idiot des connaissances, pouah ! des chères jouissances de l'esprit,

pouah ! pouah ! des merveilleuses découvertes intel-
lectuelles, pouah ! Ridicule de m'être trompé aussi bêtement. Je redeviens enfin ce que je n'aurais jamais dû
cesser d'être violent, bagarreur, voyou, vandale, voleur,
bandit, fourbe, lâche et veule, tel que je suis né. Le
voilà, le vrai courage, que je me découvre trop tard.
En ai-je perdu du temps ! M'en suis-je refusé du bon
temps ! Quelle affreuse misère je viens de traverser.
Quelle affreuse chose que ces quelques années passées
à quêter, oui, à quêter une place dans ce cher monde
tout petit de l'élite de ce tout petit pays. Pouah ! Que
d'efforts pour être à la page ! Que d'efforts pour paraître
ce que je n'étais pas ! Que d'efforts pour m'introduire
au milieu des beaux petits esprits ! Que d'efforts pour
me faire admettre au sein de ces cénacles mystérieux !
C'est fini ! Finies les humiliations après avoir mal cité
le mauvais auteur sur le mauvais sujet. C'est maintenant que je me sens bien ; bien heureux d'avoir tué.
Mais oui, mais oui, les brillants cerveaux, c'est possible.
Ce n'est pas être vicieux. Non. C'est être heureux
de savoir enfin qui l'on est : brute et violent. J'étais
né pour ce meurtre, et non pas pour recommencer encore
à écouter ce trio « enchambré », avec sa musique à me
pincer les cuisses pour ne pas dormir. Pouah ! Je suis
né pour ce meurtre ; celui-là ou un autre, bien sûr !
J'ai si souvent voulu tuer. Mon père, à certains moments de sa vie, oui, et comment ! Au moins cent fois.
Au moins une fois après chaque raclée reçue, toujours
pour une peccadille. Et ma mère aussi. Ne sursautez
pas faux diables d'eau bénite ! Au moins chaque fois
qu'elle rentrait ivre-morte tous ces dimanches matin,
après avoir couru tous les « grills » de la ville. Et si
j'avais eu des frères ou des sœurs, j'aurais sans doute
voulu les tuer, tout comme j'ai failli tuer, au moins
dix fois, chacun de mes amis. J'étais un meurtrier pré-
coce dont la destinée était bien clairement tracée. Non ?
A six ans, à coup de pelle de fer, sur la tête du petit

voisin Huberdeau. Vous pouvez le regarder passer, tous les matins, devant la bibliothèque Saint-Sulpice. Il est ouvreur au théâtre St-Denis. Ces larges cicatrices sur sa joue droite : elles sont l'indélébile preuve de ma vocation de tueur.

En attendant, sous mon large chapeau de paille dorée, la faux réglée comme une mécanique, je joue mon rôle de faucheur de bord de routes à tant de l'heure. Je descends lentement vers le sud. St-Jérôme commence à être loin derrière moi. Des hommes avec des fourches finiront par aboutir à ce tas de foin, et l'un d'eux plantera la sienne dans le corps du petit vieux gisant dans ce foin. Celui-ci poussera une dernière plainte, ou ne dira rien du tout. Mais je peux imaginer l'émoi et l'affolement du petit groupe qui charge les camions de tous ces tas de foin, tous les cent pieds. Une fois la stupeur éprouvée, ils comprendront assez vite... Je me prends à espérer ! Peut-être... oui, peut-être ne comprendront-ils rien du tout. Par une telle chaleur, un de ces vieux peut fort bien, à bout, avoir enlevé sa chemise et son chapeau et, trop tard, être tombé sous le coup d'insolations trop violentes. Idiot, idiot que je suis. Alors ? Alors ! Il y aura la police. J'ai le temps. Ils sont si longs à procéder. Je me souviens de leur lent processus ayant fait tant de séjour en cour juvénile. Ils décideront, à un moment, de vérifier l'identité des hommes au travail, équipe par équipe. Mais je n'y échapperai pas. Fauchons, fauchons, Ce soleil ! pas de chance ! Ils n'ont pas plus de chance, eux non plus, là-haut, à Ste-Agathe, avec leur belle piscine à thermostats. Car, ils attendront sûrement bien des jours avant de retourner se retremper dans cette jolie piscine où, cette nuit, ils firent la macabre découverte du corps de Suzanne. Fauchons ! Fauchons ! On passera la nouvelle du faucheur tué ou assommé pour longtemps à la radio tout comme on n'a pas tardé à faire l'annonce de la mort de Suzanne.

* * *

Il m'avait fallu avoir le réflexe rapide pour éteindre si vite la radio de l'automobile, il y a à peine une heure ou deux. Ce doux imbécile, cet innocent qui me faisait monter dans sa voiture si tôt à l'aube. Un homme en habit de soirée, mais défraîchi... c'était moi, cet homme qui avait peine à se tenir debout. Je venais de marcher à travers les bois de Ste-Agathe, jusqu'à Piedmont. Je n'en pouvais plus. Je me dirigeai vers la route, et je n'avais pas levé le pouce trois fois devant la première voiture venue, que le doux crétin stoppait pour m'y faire monter. Cet habit, même sale et froissé, l'avait tout de suite rassuré. Il faut bien le dire : il fait le moine, l'habit, ah oui, il fait le moine ! Et hop, en route pour St-Jérôme. Hélas, il n'allait pas plus loin. Ce serait ça de pris, ça de gagné vers la ville où il est si facile de se cacher du monde au milieu du monde. Salut Laurentides, jolis chalets, beaux sapins, vieilles roches. Salut ! Salut piscine, milliardaire infidèle affamée d'un illusoire succès, d'une vague promesse, salut Suzanne. Mais comment réfléchir, tirer des plans d'évasion avec ce bavard intarissable à mes côtés :

— « Vous ne semblez pas m'écouter... »

CHAPITRE TROISIÈME

A cause de cet idiot qui me transportait, le temps ne passait pas vite. Il me semble être demeuré à ses côtés durant des heures, ce qui en fait, ne dura guère plus d'une demi-heure ou quinze minutes. Il répétait toujours la même chose :

— « Vous ne semblez pas m'écouter. Je le vois bien, vous ne me croyez pas. Je vous répète que jamais ils ne poseront l'asphalte sur ce bout de chemin. C'est une honte. Nous ne sommes plus libres de voter pour qui nous voulons. Ils nous tiennent, je vous le dis. Pourtant, rien n'est plus important que ce chemin raccourci. Maintenant tous les gens de la région en connaissent l'existence. Je vous le dis, croyez-moi, croyez-moi pas, mais il doit bien passer chaque jour, matin et soir, au moins deux cents voitures. Je ne vous parle pas des dimanches, qu'est-ce que je dis, toute la fin de semaine ce chemin est encombré de voitures qui vont et viennent ».

Moi, je risque, pour le faire taire :

— « Vous l'aurez tôt ou tard, l'asphalte, puisque ce chemin est tellement achalandé ! » Le ton avec lequel je lui fais cette remarque le fait s'empourprer et il enchaîne :

— « Je ne sais pas si vous vous rendez bien compte de ce que vous dites : tôt ou tard ! Mais c'est tout de suite ; ce que je vous ai dit là, ça ne date pas d'hier. Cette situation dure depuis des années et des années. Rien n'y fait. Nous avons, les propriétaires de la région, fait toutes sortes de protestations. Ils n'ont pas bougé. Le comté n'a pas voté pour la bonne couleur. Alors, qu'est-ce que vous voulez ! Vous savez ce que c'est que la politique ? Oui ? Non ? Parfois nous

sommes tellement dégoûtés de l'inertie du gouverne-
ment que nous songeons à nous cotiser et à faire paver
le chemin à nos frais. »

— Vous devriez le faire ! » Et je pense : tâche
de te taire idiot, crétin, ne vois-tu pas que tu me
rends malade avec ton petit bout de chemin qui n'est
pas pavé...

— « Voyez-vous bien comment nous sommes, toujours prêts à lâcher. Eh bien non, savez-vous quel
est notre plan ? Une campagne de presse intensive. Oui,
dans « l'Echo des Laurentides ». Là, ils bougeront peut-
être. Savez-vous à quoi je pense ? Les gens ne s'en-
traident pas assez. Qu'il est difficile d'intéresser les autres à ses problèmes. La plupart du temps, voulez-vous
que je vous le dise, il n'y a rien à faire ! »

— « Ne dites pas ça ! »

Je ne savais plus quoi dire. J'essayais de le faire
taire par la douceur.

— « Ne dites pas ça, ne dites pas ça ! Vous en êtes
la preuve vivante. Vous vous fichez pas mal que nous
mangions de la poussière tout l'été. Avouez-le. Voulez-
vous que je vous dise ce que je pense ? »

— « Je vous en prie, dites-moi tout ! »

— « Eh bien, écoutez-moi. Nous aurons ce pavage,
nous cesserons d'étouffer sous des nuages de poussière
de sable, quand Driftman dira un mot pour nous ! »

Je sursautai, impuissant à cacher ce réflexe.

— « Connaissez-vous cet homme ? Non ? Il est puissant. Il a des intérêts partout. Et il a le bras très
long. Eh bien, nous l'avons approché. Oui, j'y suis
allé moi, en personne, avec deux délégués de notre as-
sociation. Un homme, au fond, très simple. Il nous a
reçus gentiment, sans cérémonie. A moi, pour vous
donner un exemple de son amabilité, à moi, croyez-le
ou non, savez-vous ce qu'il m'a dit, à l'oreille, bien
entendu ? »

— « Je vous en prie, l'interrompis-je, si nous parlions d'autre chose. » J'avais pris un ton sec et final.

— « Ecoutez, je m'excuse d'insister, mais je ne suis pas dupe vous savez. Je sais très bien qui vous êtes. Mais oui. On n'a qu'à vous regarder pour comprendre ! »

Là, je le dévisageai, inquiet et perplexe.

— « Mais oui. Croyez-le ou non, je vais vous démasquer. A la façon dont vous tenez à éviter le sujet qui m'intéresse, j'avoue qu'il ne faut pas être très grand psychologue pour savoir... tenez-vous bien, pour s'apercevoir, dis-je, que vous êtes des leurs. Inutile de nier voyons, vous êtes avec eux. Qu'est-ce que vous croyez ? Que je vais vous faire une scène de colère, que je vais en profiter pour vous enguirlander de la plus verte façon ? Mais non, entre nous, là, comprenez-moi bien, je ne suis pas si bête que j'en ai l'air. Je vous demanderai une seule chose ; touchez-en un mot à vos amis. Je ne sais pas si je vous suis sympathique, mais vous, à moi, vous l'êtes. C'est peut-être la raison pour laquelle, même si nous sommes des ennemis politiquement, je vous fais cette simple demande. En toute courtoisie, allez-vous en parler à qui de droit ? »

— « Je vous le promets bien ! Tenez, laissez-moi la chose, je la prends en mains. Ce sera fait avant la fin de l'été. »

Il jubilait, se déplaçait nerveusement sur son siège. Gros, le cheveu rare, les yeux tout petits, ce voyageur de commerce, ou cet agent d'assurance me devenait sympathique tout à coup.

— « Ça alors ! Ça, c'est curieux ! Mais j'ai une de ces chances. Vous dites vrai ? Mais alors, qui êtes-vous ? Vous ne dites rien. Bon, bon. Je comprends ça. Pas de compromis, n'est-ce pas ? »

— « Mon nom ne vous dirait rien qui vaille ! Au contraire. »

J'avais dit « au contraire » tout bas, par une espèce de fausse conscience.

— « Allons. allons. On a tous commis des impairs.
Nous sommes prêts à passer l'éponge sur bien des
choses. Ecoutez ! Si vraiment nous avons notre bout
de chemin pavé avant la fin des vacances, je ne vous
dis pas que je ne ferai pas un peu de cabale en fa-
veur de votre prochain candidat. Voulez-vous que je
vous dise, au fond, ce qui importe, c'est de ne plus
avoir cette maudite « boucane » autour de la véranda
quand ces autos empruntent notre bout de chemin.
Ah ! Nous y sommes déjà. Ecoutez, je ne sais comment vous remercier, monsieur ? monsieur ? » Je lui
tends la main et je prononce ce nom qui ne cesse de me
trotter dans la tête :

— « Driftman ! »

— « Pas possible. »

Le gros a crié. Il ouvre ses petits yeux le plus
large qu'il peut, se recule sur son siège, n'en revient
pas. Il sourit, extasié...

— Ça alors. Vous êtes parent de l'autre ? Son
garçon, peut-être ? Vous êtes son fils. Non ! »

Je dis, imperturbable, cet exercice idiot a l'effet
de me détendre un peu :

— « Mon oncle sera heureux d'apprendre le bien
que vous avez daigné me dire de lui. »

Je lui serre la main et aussitôt je la lâche pour
m'emparer du bouton de sa radio. L'annonceur n'avait
pu finir sa phrase : « Cette nuit, dans la piscine de
monsieur Driftman... » Le gros gaillard me regarde.
mi-amusé, mi-intrigué de mon geste. Son regard va de
sa radio à moi, deux fois. Alors. continuant la four-
berie, j'ajoute :

— « Cette nuit, dans la piscine de monsieur Driftman, on a trouvé... assez de ciment pour paver un
bout de chemin qui en avait grand besoin. » Là le
gros sanguin se frotte les mains de satisfaction :

— « Vous êtes impayable, jeune homme. Vous avez
la classe de votre oncle. Le même sens aigu de l'hu-

mour. Vous irez aussi loin que lui. » Et il me donne
sa carte. Je la prends, la regarde en souriant et sors
de sa voiture, un doigt sur la bouche. Il me répond du
même geste, jouant comme un enfant, chargeant trop.
Je ne peux m'empêcher de faire une grimace. Il éclate
de rire. Il est sorti de sa voiture et me salue sans
cesse, bien bas. Je m'éloigne. Je ne pense qu'à m'éloigner au plus tôt. Je prends le chemin le plus court pour
sortir de cette ville inquiétante où, dans chaque maison,
l'annonceur d'un poste de radio peut bien être en train
de donner ma description. Mais, j'ai soif et faim... je
me retourne machinalement et il est encore là, debout,
qui me regarde m'éloigner, cet homme qu'une chance
inouïe a mis sur mon chemin. Pour me venger, certain
de ne pas être compris, je m'arrête, me retourne dans
sa direction, et, criant :

— « Espèce d'idiot. Ton bout de chemin restera en
sable encore longtemps. Crétin, imbécile. » Et lui,
à chaque cri qu'il ne peut comprendre, me fait ses
saluts les plus cordiaux. Je continue mon chemin en
ne pensant plus qu'à manger quelque part, au moins
boire un café après cette nuit blanche, cette promenade
forcée dans les bois, et cette randonnée infernale
avec le roi des idiots !

CHAPITRE QUATRIÈME

Après cette rencontre, un peu de quiétude. J'ai dormi au fond de ce restaurant, entre les hautes colonnes de caisses de liqueurs douces. Aline est une brave fille, elle ne m'a pas posé de questions. Une douzaine de phrases échangées pendant qu'elle me préparait des œufs, de la confiture, des rôties et du café. Aline est une de ces filles bon-enfant, qui savent d'instinct à qui elles ont affaire, à qui elles peuvent faire confiance. J'ai vu, dans ses yeux, que nous étions de la même race. Prendre tout ce qui passe. Pas beaucoup de chance, mais au moins, c'est ça de pris, rester à l'affût du moindre moment de contentement. Le plus petit plaisir qui s'offre est bu avec avidité. Rien n'est laissé de côté. Pas de gaspillage. C'est si rare, un bon moment. Oui, nous étions de la même race. Derrière son comptoir, elle m'a regardé entrer. Elle se tenait debout, le fessier rond posé sur l'évier, une large tasse de café tout au bout de la main, le coude appuyé au corps, l'autre bras sous les seins, le premier fonctionnant comme une bielle mécanique, de sa bouche au bout de son bras, toujours du même mouvement sans grâce, pratique. Comme elle. Pas de questions bêtes, seulement les utiles :

— Vous voulez déjeuner ?

— Oui. J'ai faim !

— Prenez-vous une place. Vous avez passé une nuit blanche ? On ne s'ennuie pas !

— Non, on ne s'ennuie pas.

— C'est de votre âge.

Et nous nous sourions brièvement. Nous nous sommes reconnus. Je me sens, c'est bête, en sécurité parfaite. Voilà quelqu'un de ma race, de ma vraie race.

Quelqu'un qui vient de la pauvreté, quelqu'un de la nation-misère. On est entre nous.

— Tu as deviné juste, j'ai pas dormi de la nuit.

— Ces damnées sauteries. De la boisson ?

— Oh ! pas trop, juste ce qu'il fallait. Est-ce que je pourrais dormir... quelque part par là ?

Je montre l'arrière de sa boutique, derrière cette petite draperie de toile cirée défraîchie. Elle me regarde. Ses yeux clignent un moment. Elle s'est posé une question, toujours la même évidemment. Puis elle a compris, dans mes yeux, rien. Rien, rien. Je suis trop fatigué, elle le voit. Cela semble la désappointer. Oh ! je me fais des idées peut-être. Je m'en fiche, tout ce que je veux, c'est dormir. Dormir.

— Il y a bien un mauvais divan-lit. Vous ne serez pas tranquille !

— Pourvu que je puisse dormir, c'est tout ce que je demande. Au moins une heure, sinon...

Et je dévorais ces œufs et ces rôties. Je bus le café d'un trait et je me levai, encore plus assoupi, du fait d'avoir mangé. Mes yeux se fermaient malgré moi. Je ne voyais plus Aline qui me prit le bras pour m'empêcher de tomber. Je crois que je lui ai souri. Puis je tombe sur ce canapé de toile, ce vieux divan taché. Aline, la malheureuse, debout près de moi, me parle encore :

— Je viens souvent quand il n'y a pas de clients. Ça me fait du bien de m'étendre cinq minutes. Parfois, un salaud vient me trouver. Les gars savent que c'est mon passe-temps...

Que me dit-elle ? Je ne l'entends plus. Je n'entends que le bruit de l'eau remuée, puis plus rien du tout. Que cela me fait du bien...

*   *   *

J'ai dormi jusqu'à dix heures, ce matin. Puis, cette

musique pour annoncer ce sempiternel message com-
mercial, ce vacarme qui se veut d'une grande habileté
publicitaire. Justement, il a fallu que ce fût cette
annonce qui, chaque fois que je l'entendais, me faisait
rugir de colère. Puis, c'est l'annonceur du poste de
St-Jérôme, un type que je connais, qui a fait les quatre
cents coups comme moi, à l'époque de la bohème sur
le tard. Je reste cloué au divan pendant que le vieil
ami fait ma description avec tous ces détails que ces
services de police imposent. Aline doit écouter en même temps que moi. Pourvu qu'il ne se trouve pas de
clients dans le restaurant. Quant à elle... j'ai toujours
cette curieuse confiance ! Alors je me lève, péniblement,
malgré moi. J'ouvre peureusement la tenture de toile
cirée. Le restaurant est désert. Je l'appelle plusieurs fois
cette Aline, cette salope, car je ne suis pas fou, elle
est sortie pour prévenir la police. Qui sait combien
de fois cette radio sadique a pu faire passer son message, ma description. On ne porte pas un habit de soirée tout défraîchi, sale, sans quelque raison. Elle a
sauté à la conclusion. La seule vraie conclusion qui
s'impose. Je reste paralysé un moment. Je tente de
me remémorer ses yeux, ses bons grands yeux de salope.
Je m'étais trompé à fond. Je me suis toujours trompé.
Pourtant, son regard sur moi, ce regard que j'ai cru
rempli de sympathie. Elle s'est hâtée d'aller chercher
la police. Et voilà que je me sors enfin de ma torpeur !
J'ouvre la caisse et j'en ramasse tous les billets d'une
seule main. Je n'irai pas loin avec ces quelques dollars.
Je n'ai peut-être pas le temps d'aller très loin.

Il me prend la fantaisie de rester là, de l'attendre.
Oui, elle reviendra seule. Les salauds m'attendront de
l'autre côté de la rue. Ah oui, ce n'est pas autrement
que cela va se passer. Alors, je l'attends. Je la tuerai,
tout comme j'ai fait avec l'autre. Cette putain. Cette
Suzanne. Toutes les mêmes. L'intérêt toujours. Sans
que cela paraisse jamais très bien. Par en dessous. Oui,

sous leurs jupes, sous leurs doux sous-vêtements. L'intérêt. Cette garce. Je la tuerai tout comme l'autre. Je me débarasserai de toutes ces araignées, ces vipères, ces filles, ah oui ! ces filles. Ces êtres d'apparence si séduisante, aux allures de douceur, aux gestes d'affection, aux yeux d'un suave et humain regard. Je l'aimais Suzanne. Je l'aimais. Elle était cette grande biche gracieuse qui acceptait de me suivre partout. Nous nous comprenions. D'un seul geste qu'elle avait, d'un seul regard que je lui faisais, nous savions ce que nous éprouvions. Je ne me souviens pas d'un seul mot, d'une seule parole que nous ayons échangés qui aient eu quelque importance. Entre nous, il y avait un voile étrange fait de ce faux silence. Faux silence, puisqu'elle ne put rien ignorer de moi et moi d'elle-même. Nous allions à travers les rues de la ville, nous tenant à une petite distance. Jamais nous ne nous tenions par la main ou par le bras. D'ailleurs, son agilité dépassait la mienne. Elle se tenait droite, la tête toujours haute. Elle ressemblait à un de ces beaux adolescents, un peu maigres mais qui ont une espèce de noblesse blessée et honteuse. En effet, elle n'était pas pour moi une femme, une fille, malgré sa très longue chevelure. Suzanne, c'était un ami, ou une amie si l'on veut. Et j'ai tué cette amie, mon seul ami. Cela aussi me ressemble. Je n'ai jamais pu respecter rien ni personne. Mes quelques amis, ceux de mon enfance, puis ceux de mon adolescence, ne furent pas moins maltraités que mes pires ennemis. Je ne pouvais m'attacher quelqu'un. Quelle était cette espèce d'indépendance qui me faisait me séparer de tous ces gens rencontrés, avec qui, parfois, je me liais d'amitié pourtant ? Etait-ce indépendance ou un étrange besoin de liberté dont l'amitié même semblait altérer la pureté. Oui, il me fallait une liberté totale, et de me sentir attaché à qui que ce soit me rendait inquiet, jusqu'à l'angoisse. Et il ne s'agissait pas que d'égoïsme et d'orgueil puisque lorsque c'était de moi qu'avaient besoin les autres, je ne fuyais pas moins. Ne vouloir rien devoir à personne, et vouloir que personne ne dépende de moi. Et Suzanne fut la seule pour qui je fis tant de résistance à ce besoin que j'avais toujours de m'en séparer. La seule à qui je voulais bien consacrer tant de temps, tant d'années. Et pour tant de sacrifices, cette sale trahison avec ce sale gros type. Elle a bien payé pour tout. Elle a payé pour tout ce temps qu'elle m'a arraché, pour toutes ces privations à mon isolement adoré, à ma liberté vénérée. Elle a payé mais j'ai au cœur un sentiment de regret que je ne peux m'expliquer, définir clairement. Et cette autre, Aline que je vois traverser la rue, venant vers moi. Elle aussi va payer. Je déchire un pan de ce sale rideau de toile cirée. D'un seul geste, j'en enroule une partie autour de ma main. Je l'étoufferai avant même qu'elle ne puisse crier.

Elle entre. Elle m'a vu déchirer le rideau. Ses yeux sont très grands ouverts. Ses lèvres remuent. Elle cherche ses mots, la sale petite bavarde. Je vais l'aider à me mentir pour voir ce qu'elle va inventer. Je me rapproche d'elle avec un calme qui m'étonne et la rassure.

— D'où venez-vous ?

Elle me regarde d'abord sans répondre. Elle guette si je n'ai rien à ajouter en regardant sur ma bouche. Puis, elle va derrière son comptoir et me dit, avec cette franchise étonnante.

— Je sais qui vous êtes. Oui, j'ai entendu le message de la radio. Ils n'arrêtent pas. Tous les quarts d'heure. Vous feriez mieux de filer.

— Je suppose que je ne pourrai aller loin grâce à vos bons soins. Vous ne m'avez pas répondu. Où êtes-vous allée ?

— Je suis allée prévenir mon père. Il est là, de l'autre côté de la rue, dans sa charrette pleine de foin. Il vous attend. N'ayez pas peur. Il est parfait. Il a déjà eu des ennuis. Partez vite. Il a un plan à vous expliquer. Il vous sortira de St-Jérôme vers l'autoroute... Dépêchez-vous !

Elle se retourne et ouvre sa caisse. Elle veut me donner de l'argent ! Je mets ma main sur son épaule et je la retourne contre moi. Le tiroir de sa caisse est ouvert. Je l'embrasse avec toute la violence qu'il faut pour qu'elle ne s'aperçoive pas que je remets l'argent pris dans le tiroir de sa caisse. Comme je desserre mon étreinte, c'est elle qui me reprend et m'embrasse avec fougue. Le danger qui me guette m'a rendu mi-lucide, mi-inconscient. Ses cuisses et son ventre contre moi, et je voudrais retourner au divan avec elle. C'est ce désespoir qui veille sur moi. Et ce pourrait être la dernière fois. La dernière femme avec qui je pourrais encore faire l'amour. Elle s'accroche toujours à moi. Elle me regarde. Elle me regarde avec la certitude de ne plus jamais me revoir. Cela me fouette, me rend douloureusement conscient que chaque minute de mon existence m'est comptée. Je la soulève, je la presse contre moi à l'étouffer. Elle casse le rêve fou. Elle brise le charme insolite. Elle me donne un bout de papier. Elle me supplie des yeux et voilà que tout s'allume. Elle m'explique :

— Je te souhaite de tout cœur qu'on ne te prenne pas. Mais si ce malheur doit t'arriver, c'est son nom et son numéro. Il est là depuis deux ans et je n'en peux plus. Il lui reste huit ans à purger. Les salauds. C'est un gars, un vrai bon gars. Je l'aimerai toujours. Il n'a pas eu de chance. Il ne m'a pas tuée lui, et pourtant c'est à cause de moi.

Ses yeux s'embuèrent. Elle se retourna mais je la voyais dans le miroir pendu au mur à côté de la caisse.

— Oui, c'est moi qui devrais être là, à sa place. Il paye pour moi. Je suis responsable de tout. Je voulais de l'argent, toujours de l'argent. Il est allé m'en ·

chercher. Une fois de trop. Pas de chance. Tu lui diras, tu lui diras que je l'attendrai toujours...

Elle cesse de parler. Elle se rend compte qu'elle
est odieuse d'être presque certaine que l'on va me
pincer et m'enfermer. Elle met quelques billets dans
mes poches et me pousse dehors.

Je me retourne pour la voir une dernière fois.
Elle s'est versé une tasse de café, et son bras fait
comme une bielle mécanique. Par terre, devant son
sale petit comptoir, ce pan de toile cirée qui ne m'a
pas servi et qui me rappelle que c'est moi qui ai été le
salaud de ne pas croire à cette misérable belle fille,
Aline !

Je traverse la rue. Un vieillard fume sa pipe, juché,
assis sur le bout de sa charrette à foin. Il me sourit
comme on le fait à un très vieil ami. Il m'invite à grimper d'un geste rapide. Je me dépêche.

CHAPITRE CINQUIÈME

Le père d'Aline tient mollement les guides de son attelage. Je peux m'étendre sur le foin et reposer encore. Sursis bienfaisant. Je n'ai pas tué Suzanne. Je n'ai jamais tué personne. Cette bonne odeur de blé coupé. J'ai treize ans. « On m'a envoyé de l'école de réforme à cette ferme de St-Joseph du Lac. Le fermier Ubald est un homme magnifique. Il a la peau ridée d'un chinois. Toujours une pipe entre les dents. Il parle doucement et comme en riant tout le temps. Nous coupons les herbes blondes tout autour des pommiers de son verger. Je suis heureux. Ce travail harassant m'est un bien doux supplice. Finies les raclées hebdomadaires, parfois quotidiennes, d'un père en courroux, pour une peccadille. Je n'ai plus besoin de me cacher, de mentir en vain, puis de baisser mon pantalon et de me pencher au-dessus du bain m'agrippant solidement à son bord, sous les coups de la courroie à aiguiser son rasoir. Ce rasoir me servit à moi aussi ! A lui couper profondément un mollet à ce père démonté ! Ce fut la dernière fessée imméritée. L'école de réforme allait déverser son baume à psychologie, à trucs, à récompenses promises, à chantage, à marchandages, à menaces, à nuits blanches, à sermons, à promesses, à perversion. Il fallait se montrer dignes de notre réputation « d'enfants précoces ». Les démonstrations s'accumulaient. Nous connaissions tous les secrets de la terre, de la mer et de l'homme. Nous savions bien que les enfants arrivaient au monde par une large coupure sur le ventre de la mère, qu'ils étaient d'abord en caoutchouc, qu'il fallait plonger ces bébés dans des cuves d'eau et de moutarde. Quand je vous dis que nous savions tout. Tout ce que nos enfants de parents n'osaient jamais dire, craignant que nous mettions tout en pratique.

Nous reposant au fond des vergers du père Ubald, dégustant pomme sur pomme, nous discutions avec vérité mais rudesse de ces secrets de la vie adulte...

Le cheval du père d'Aline est une de ces bêtes sans âge, vieux percheron poilu d'un blanc tout sali, qui ajoute à l'aspect vieillot de la pauvre bête. Le vieillard, tout de suite, lui a fait prendre une petite avenue de la ville. Puis, nous aboutissons sur un mauvais chemin, loin de la route nationale. De temps à autre, le vieux se tourne un peu et me jette un clin d'œil. Son visage est froissé de mille plis et d'un brun qui semble à jamais indélébile, comme celui du père Ubald, mais moins doux, moins bon. Le père d'Aline, qui me dit se nommer Xavier, ne porte pas sur ses traits cette bonhomie, cette joie de vivre, cette sagesse patiente de tous les cultivateurs que je connais.

Ah, puis, je me fiche pas mal que le père Ubald ait eu bonne mine ou que Xavier, mon cher conducteur, lui, soit un paysan d'allure inquiétante. Je suis presque heureux, comme il y a bien longtemps... Le ciel est bleu, aucun nuage ! Le soleil est très haut et brûle tout, d'un feu doux mais pénétrant. Des oiseaux se pourchassent éperdument d'arbre en arbre, et il y en a par ici !....

A quoi tient le bonheur ? Ce n'est donc pas selon nos bonnes ou nos mauvaises actions ! Un autre mensonge, un de plus, un de plus ma bonne mère, mon noble père, un de plus, mes révérends frères, mes révérends prêtres, un de plus, qu'est-ce que c'est ? Rien. Non. C'est par l'incalculable que vous êtes épouvantables. Oui, nouvelle vérification : « Le bonheur n'a rien à voir avec la conscience ! » Très savant, cela. Mais enfin, quoi ? Je viens de tuer ? Non ? Et alors ! Je me sens heureux et calme et... oui, satisfait. Je suis très content de moi. Cette charrette à foin répand

sa bonne odeur d'herbe mûre, elle me berce un peu
violemment, soit, mais c'est ma providence. Pas un
« cave » armé ne songerait à venir fouiller un ensemble
d'allure si inoffensive : un bon vieux à clins d'œil
avec une face de pomme à pelure moisie et plissée
une odeur de bon tabac canadien dont il bourre sans
cesse sa grosse pipe d'écume.

Tout à coup, je suis encore mieux. Un peu mieux
encore. Je ne sais à quoi attribuer ce changement de
palier dans mon relatif bien-être.Tout me paraît doux
et facile. J'ai oublié ce que j'ai fait cette nuit. Je ne
me souviens plus exactement de ce que je suis devenu.
Je suis en état de grâce complet. Et puis c'est facile
d'oublier. Il était si peu probable qu'après ce cauchemar je me retrouverais haut perché sur une vieille
charrette, en compagnie d'un brave homme qui semble
songer à des plans pour moi, avec une grosse face
pleine de malignité et de calculs. En effet, il se tourne
un peu sur ses fesses, et me jette, avec son accent de
paysan :

— « Pour te tirer du trou, j'ai une sacrée bonne
idée ! Ils vont te sacrer la paix pour un bon petit bout
de temps. Le temps que les « bœufs » rassemblent
leurs esprits ! »

Puis, c'est une longue, paisible, paysanne, lente
explication de sa « sacrée » bonne idée. Des hommes,
des chômeurs en ville, sont embauchés depuis quelques jours pour faucher l'herbe qui pousse le long
des routes. Et, justement, ce matin, un fort nombreux
groupe commençait les bords de la route St-Jérôme-
Montréal. Le vieux m'affirmait qu'il serait assez facile
de me mêler à eux, et, ainsi déguisé en honnête travailleur, de descendre vers Montréal. Il me répétait
que son plan valait le meilleur abri au monde, la cachette la plus savante. Je trouvais son plan pas trop
bête. Alors le vieux devient tout fier. Il répète :

— « Se cacher... sans se cacher ! Se cacher... mais

sans se cacher. Rien de pire pour les « bœufs ». Voilà tout le secret ».

Très fier de me voir acquiescer et accepter de me rendre à l'intelligence de son idée « sacrément bonne », il se mit ensuite à me parler de lui. Son histoire était invraisemblable ! Récit dont je suis incapable de reconstituer toute la trame tellement il m'apparut bizarre et inconcevable. Je ne me souviens bien que de certains passages. Par exemple, comment il commença son récit pittoresque :

— « Tel que tu me vois, jeune homme, je suis moi-même, en personne, un fugitif. On est pareil tous les deux. Je ne me cache plus, mais j'ai tort peut-être... peut-être que je devrais... Peut-être qu'un bon matin, demain ou dans six mois ou dans un an, peut-être que je verrai les « bœufs » cogner à ma porte : ma fille Aline en larmes, la vieille criant comme une démontée, puis ils me passeront les menottes et je les suivrai. Oui, jeune homme, je suis un peu semblable à ton cas ! »

Moi, dans ma béatitude que je trouve si extra-ordinaire, je ne veux rien entendre. Tout se complique, je n'écoute déjà plus. Je ne veux pas penser à ce paysan qui s'est fait tuer si bêtement par un autre paysan qui est mon providentiel conducteur. J'entends mal la description de cette sombre machination, je saisis des mots, le mot bêche semble revenir constamment dans son histoire.

— « Ça n'a pas pris trois coups, ni deux, un, un seul coup de « bêche » ! »

Oui, oui, mon cher Xavier, si cela en avait pris mille ou un million de coups de bêche. Je m'en balance. Je ne veux penser à rien. Rien qu'à ce ciel chaud et lumineux que je regarde défiler au-dessus de ma tête.

— « Il est tombé drôlement. Ça, j'y penserai toujours ! Toute ma vie ».

Et le voilà qui fait arrêter le vieux percheron gris, et il me regarde avec des yeux étrangement tristes :
— « Je vous le dis. C'est curieux. Il me regardait fixement. Et il m'a regardé comme ça, avec les yeux d'un étranger, le regard de quelqu'un qui ne me connaît pas, qui me voit pour la première fois de sa vie. J'étais tout drôle. Je n'en revenais pas. J'ai lâché ma bêche de côté, d'un seul coup. Cet homme que je venais de frapper, ce n'était plus lui. Il ne m'avait pas pris ma femme, pas du tout. C'est fou, hein, c'est bête. Je m'étais trompé. Alors, j'ai regardé sa grosse chemise à carreaux, sa salopette de toile, je fixais ses bretelles pour essayer de le reconnaître, au moins à ses vêtements. Je levais les yeux sur son cou, son cou solide. Je pensais, au-dedans de moi-même : « Xavier, c'est ton frère, qu'as-tu fait ? C'est tout de même ton frère ». Là je vis deux grosses coulisses de sang si rouge. En levant la tête, je vis le sang qui lui sortait par les oreilles ! Je fis un pas vers lui, et il tomba assis, lentement. Je croyais qu'il allait me parler, qu'il me dirait qu'il regrettait de m'avoir enlevé ma femme, qu'il allait s'expliquer... Je m'asseois aussi, pas loin, et lui tourne la tête pour l'inviter à s'excuser sans gêne, à s'expliquer. Un petit bruit et je me retourne, il est penché en avant, les deux mains devant son visage, caché. Alors, suis-je bête, je crois qu'il pleure ! Je me penche, je le saisis aux bras et puis je le trouve trop bête de... de ne pas parler... je ne sais ce qui me prend, une rage terrible de nouveau et je vais reprendre la bêche et je lui en fourre un grand coup à deux bras. Cela ne l'a même pas fait sursauter. Il était mort ! Il était déjà mort ! Je ne sais vraiment pas ce qui m'arrivait mais je frappais et je riais et je frappais. Je ne sais plus combien de coups inutiles je lui ai donnés. Enfin, je réussis à m'arrêter et je le relève, en pleurant maintenant, espérant bêtement qu'il ouvre la bouche et me parle comme si rien n'avait eu lieu.

Mais je découvre ses deux mains rouges comme deux
oiseaux écorchés vifs... »

Mais je ne veux pas qu'il poursuive ce récit idiot.
Avais-je besoin d'entendre cela, cette horrible histoire ?
Je sais bien qu'il ne l'a jamais racontée à personne,
pas avec ce luxe de détails, mais à moi, n'est-ce pas,
c'était possible puisque moi aussi j'ai fait la même
chose et cette nuit, n'est-ce pas Xavier, cette nuit-
même ? Eh bien non, tu te trompes mon sale vieux
bonhomme. Moi aussi je te trouve horrible. Je ne
suis pas d'accord. Je suis écœuré, dégoûté de ton geste.
Oui, oui, moi qui viens de tuer, moi tout frais sorti
d'un meurtre. Quoi, crois-tu que maintenant et désormais je peux tout entendre, sans broncher ? Crois-tu
que je suis reçu, diplômé de l'école du crime, du meurtre et des assassinats les plus veules, les plus lâches ?
Je te trouve lâche, traître, ton frère, ton propre frère,
et pour ta femme qui ne doit plus être aujourd'hui
qu'une sale petite vieille grossie, de qui, peut-être tu
voudrais bien te voir débarrassé. Je te trouve idiot,
pitoyable, imbécile et tout ce que l'on voudra.

Car, autre vérification, autre mensonge, mes révérends éducateurs, on n'est pas méchant tout à fait ni
bon tout le temps. Non, non, non, ce crime me dégoûte et pas celui que j'ai commis. Car le mien, il
était propre et juste, et si je vous disais tout, si je
vous expliquais tout, vous tomberiez d'accord avec
moi, pour dire, que je ne pouvais pas faire autrement.
Vous voyez bien mes très révérends, que je ne suis
pas vicié jusqu'au dernier clou de mon âme. Je n'ad-
mets pas ce sale crime de Xavier, plus, il me dégoûte
énormément. Allez donc encore étudier les rouages
délicats de la bonne et de la mauvaise âme, vous n'y
comprenez rien ! Avant d'en reparler, allez donc vous
faire voir. Il n'y a pas, comme au cinéma à bon marché, le bon d'un côté et le vilain de l'autre. Tas d'abru-
tis. Ce vieux-là m'écœure. Je n'aime plus sa vieille

figure ridée. Je veux descendre, et tout de suite.

— « Attendez. On n'est pas encore arrivés. »

Xavier est tout excité. Il se demande ce qui m'a pris de me relever et de me jeter en bas de sa charrette

— « Je vais marcher le reste. Salut ! C'est pas loin, non ? »

— « Mais je n'avais pas fini mon histoire. Je ne vous ai pas expliqué comment je m'y suis pris pour faire croire à un accident... »

— « Je vous en prie, j'en ai assez entendu comme ça ! »

Et je m'éloigne en essayant d'oublier ce vieux fou qui me rendait service à la condition de pouvoir se confesser. Pour une fois qu'une âme charitable comme la mienne... le déjeuner d'Aline me remonte à la gorge et je marche plus vite en respirant plus profondément... Là-bas, la route nationale et, de chaque côté, des ombres noires et courbées qui sont des hommes au soleil !

CHAPITRE SIXIÈME

Le soleil se tient haut, toujours plus loin des hommes. Il n'y a à notre portée, que la terre, sa boue, son ciment, sa crotte, son foin. Pour moi, il n'y a que de faucher ! Il y a trop loin des champs du père Ubald de St-Joseph du Lac, à cette route ! Je ne sais plus comment bien faire. Mais je m'applique. Ce soleil me fait pisser la sueur sur tout le corps. Qu'est-ce qu'un chapeau de paille ? Les confrères sont plus habiles que moi ! Ils vont vite... c'est beau, c'est bien... Je m'applique.

Y a-t-il une prime ? Tant du mille fauché ? Qui sait ? Ils vont si vite ! Je ne pense qu'à bien faire. Je ne veux penser qu'à ça. Mais il faut avoir l'air de trouver ça facile. Je m'efforce de prendre la mine de tous : mi-écœuré, mi-absent. Je voudrais me voir... reculer de quelques pas et me voir faire. J'ai envie de rire... et de m'en aller en riant...

Où m'en aller ? Je suis seul. Comme jamais je ne l'ai été. Quand j'y songe ! Je suis seul, coupé du reste du monde. Mon geste de cette nuit m'a retranché de... de je ne sais quoi exactement. J'ai vieilli de mille ans. Je ne pourrais jamais plus redevenir qui j'étais. Essayez de tuer, vous verrez, vous verrez bien que je dis vrai. Je parle trop haut... On pourrait m'entendre !

Où m'en aller après avoir fait ça ? J'oscille entre deux envies : me livrer pour en finir ou fuir astucieusement tout le reste de ma vie ? Je sens ma pauvre petite intelligence si épuisée. Elle ne veut plus continuer avec moi. Je la questionne, lui demande des idées, des projets, lui quête, lui implore un plan de salut. Un bon plan ! Je ne trouve rien ! Rien que du

ciment, des autos qui filent à soixante, du foin tout
sale de boue ! Aux pieds de ces herbes jaunes et grises, tout ce qu'on voudra ; une panoplie horrible, à ré-
pétition : gobelets, cornets, papiers cirés, mégots, mégots, mégots... en voici un plus long, un sec, si sec
qu'il faut le prendre avec soin, et je l'allume avec joie.
Un « confrère » me sourit et je suis transporté aux nues.
Un sourire, puis rien. Alors tout se fige sur mon visage.
Je le regarde durement, lui reprochant de ne plus pouvoir me sourire si... si j'allais lui dire : « J'ai tué,
cette nuit, là-haut, au fond d'une piscine... et je n'ai
pas de remords ! » Il s'en irait très loin de moi, me
jugeant le pire des monstres.

Il aurait bien tort, car je ne pouvais faire autrement que de tuer ! J'étais né pour ce crime. Deman-
dez à mon enfance, ce long passage de désillusions
en désespoirs. J'apprenais, à quatre ans, à me tenir
debout sous la volée d'une magistrale gifle. C'est difficile. Je me souviens. Je répétais. Avec un ami, un ami
qui avait un père semblable au mien. Nous nous
exercions au jeu des gifles paternelles, chacun son
tour. Les autres enfants chantaient, on les écoutait :
« Ron, ron macaron, ma petite vache a mal aux
pattes... » Et vlan ! attrape celle-là. Tu triches, je les
regardais ! Puis je me relevais. Les petites filles dansaient à la corde : « Trois fois, passera, la dernière, la
dernière, trois fois... » et vlan ! C'est lui qui est allé
s'asseoir sur le bord du trottoir, il sourit ! Mais mon
cœur me fait mal... je ne sais à qui m'en prendre, il y a
quelque chose, quelqu'un ! Je regarde au ciel... Pourquoi ? Je veux jouer, je veux être heureux, ne plus
toujours penser à ces bleus, à ces bosses, à ces coups,
à rester debout comme un homme sous les gifles du
Salaud, mon père ! Alors, il ne me reste plus qu'à me
venger du... ciel, ça doit venir de là ! Regardez-moi
ces petits morveux : « Savez-vous planter les choux,
à la mode, à la mode, savez-vous planter les choux,

à la mode de chez nous... » Je vais leur en faire voir
des choux moi !... à coups de pieds, à coups de poings...
Ecoutez-les brailler et se sauver, les enfants heureux.

Au moins, il me restait cette consolation : « la
terreur du quartier ! » C'est beau les titres. Je n'ai
toujours mérité que ces titres : polisson, vandale, voyou,
« bum », voleur, vicieux, gibier de potence, déserteur,
assommeur, « gunman » ; terreur de ma rue à dix
ans, du quartier à quinze, de la ville à vingt ans...
Et l'armée vous délivre de tout.

*   *   *

Nous jouons maintenant « à la guenille brûlée ».
C'est la troisième voiture de la police qui passe à
vive allure. Ils sont pressés de me trouver. Cherchez
bien messieurs, vous « brûlez ». En voici une autre,
c'est la quatrième depuis trente minutes. Ils s'améllio-
rent, les « bœufs », comme disait Xavier, le père d'Aline.
La voiture roule lentement le long du fossé. Elle s'arrête, le conducteur parle avec le confrère, le deuxième
avant moi, à cent pieds... Je suis fait... Je me penche
et je prends de la boue au fond du fossé, je me salis
généreusement le pantalon de mon habit de soirée.

La voiture démarre... Elle passe lentement devant
le faucheur qui me précède... pourvu qu'ils ne me ques-
tionnent pas... je rabaisse le bord de mon chapeau.
Ils se rapprochent... et cette voix de brute pressée qui
répète pour la deuxième fois :

— « Hé, vous avez pas vu un homme en complet
noir ? Hé... »

Pas moyen d'y échapper, je me retourne à demi et
fait signe que je ne comprends pas :

— « Parla italiano ? »

Ils s'en vont les imbéciles ! C'est trop facile ! J'ai eu
très peur... Mes mains se mettent à trembler... en retard !

J'aurais dû leur dire : — « Bonjour, je vous attendais. C'est moi. Mais oui, c'est bien moi, le coup chez Driftman. Vous avez été long à venir. » Et là, ils m'embarquent, je monte allégrement en voiture... Enfin, il arrive quelque chose et je n'aurai plus à penser... Tout se déroulerait sans mon secours, sans ma volonté. Que tout cela serait reposant car une fatigue immense m'a envahi depuis cette noyade... Un lourd poids m'écrase... Il n'y aurait plus qu'à me laisser faire... la belle vie : la prison... le procès : un mauvais moment à passer, du monde, des curieux qui regardent vivre les autres, des journalistes, des photographes... puis un vieux pépère tout déguisé qui me ferait mettre la main sur le « comic book » et qui, alors, croirait tout ce que je pourrais inventer... Enfin, le pénitencier... Là, je triche, je ne veux pas penser à ça, vous savez bien, quelque chose de pas aimable... la « corde ». Il faut que j'y songe... La corde, la corde, la corde, il faut que je tâche de m'habituer à penser, à dire ce mot sans toujours, chaque fois, éprouver un petit frisson sur la nuque.

Je devrais envisager la chose froidement : oui, ce pourrait être la prison ; oui, mais aussi là... non, je recommence : mais aussi... peut-être... oui, ça pourrait être aussi là... peut-être... que ça pourrait être... je le dis : la corde ! Oups ! Le petit frisson ! La corde, je vais m'habituer... la corde... la corde... Je le dis tout haut : la corde... Je peux bien le crier : LA CORDE. Le confrère me regarde crier. Il sourit encore. C'est le plus jeune des chômeurs, il a de grands yeux pâles. Il a les cheveux presque blancs d'être si blonds. Ce doit être un étudiant.

En voilà un bout de corde et si sale... Le câble noué autour du cou de l'aspirant pendu doit être neuf... Non, peut-être ne le change-t-on que très rarement, et que des dizaines de cous s'y sont tordus ! Il pourrait être taché... Je n'aime pas y penser mais il le faut.

Je dois m'y faire... Je ramasse le bout de corde... corde
à faire glisser les fenêtres, dans les châssis, je cesse
de faucher, je m'éponge avec ma manche... Je fais un
nœud coulant... et j'enlève mon chapeau... Cela me fait
un beau collier autour du cou, le frisson m'est apparu...
Il lui fallait ça. Il me portera chance... Je le garderai...
toujours... tant que je pourrai... Suzanne sourirait...
Elle « est » si superstitieuse ! Je lui « connais » des
dizaines de porte-bonheur ! Un rien, elle le «conser-
ve » pour la « good luck », comme elle dit.

Elle est morte tu sais. Non ? Ce n'est pas moi
qui ai pu te tuer ? Non, pas celui que tu connaissais.
C'est l'autre, l'enfant-gamin, le voyou, le coureur des
tribunaux, le problème des juges d'enfants, la terreur
de St-Henri, de Côte St-Paul, c'est lui, c'est lui qui
m'est revenu, a repris sa place en moi... C'est ma faute,
je l'avais oublié, j'avais oublié de te prévenir qu'il
pourrait surgir à n'importe quel moment de mon existence, pour se réinstaller solidement et là, qu'il pourrait bien exiger des comptes, avoir des goûts pas cor-
rects... C'est lui qui tenait ta tête sous l'eau. Ses
genoux à lui te serraient sous l'eau. Il dormait quelque
part, il s'est réveillé, je me suis reconnu en lui, et sans
savoir pourquoi, j'ai cru bon de redevenir qui j'avais
toujours été !... de lui rendre sa place perdue. J'avais
besoin de me retrouver tout fait !

Pendant que je me désole au bord de mon fossé,
la faux à la main, les messages à la radio doivent
se multiplier, les effectifs de policiers, grossir, la battue
lente mais organisée va resserrer son étreinte, et, tôt
ou tard, je serai pris sous le nombre. Il faut que je ras-
semble tout ce qui me reste de lucidité et de courage.
Je dois décider si vraiment cette place au milieu des
chômeurs-faucheurs est bonne et prudente. Je ne vois
guère de cachette plus bête et plus habile. Je reste.

Le grand blond a fauché si lentement que je l'ai
presque rejoint. Je pourrai lui parler ! Il me regarde

souvent. Il s'arrête de travailler. Je cesse aussi. Je ne veux pas parler. A personne. Il se retourne. Plus de sourire, un visage d'une gravité étonnante pour son jeune âge. Il vient vers moi. Je lui tourne le dos pour qu'il comprenne bien que je n'ai pas envie de causer avec qui que ce soit. Il s'est arrêté à vingt pieds et fait semblant de regarder sa faux : il l'examine en retournant la lame sous son regard attentif. Je me décide à parler pour en finir :

— Vous voulez quelque chose ?

— Oui.

— Quoi ?

— Vous avertir !

— Ne vous mêlez pas de mes affaires !

— Voyons. Je me fiche bien de vos histoires.

— Pourquoi ? Que savez-vous ?

Sa voix est plus douce. Il tente de s'expliquer, comme à regret :

— Ecoutez, ils se connaissent tous ici, entre eux. Vous comprenez... aux bureaux d'assurance-chômage, ils garnissent les corridors à l'année... alors...

— Alors, qu'est-ce que vous voulez que ça me fasse !

— Vous ne m'avez pas compris. C'est moi que l'on a chargé de vous faire le message. Autant vous le dire carrément, ils savent bien que vous n'êtes pas des nôtres. Que vous vous êtes infiltré parmi nous de façon... spéciale. Alors, ils vous font dire de vous en aller... qu'ils ne feront rien pour vous dénoncer...

— Merci de m'avertir si poliment.

— Ce n'est pas de notre faute. Comprenez, si on devait finir par s'apercevoir de votre intrusion dans nos rangs... il y en a qui se feraient inquiéter... Ce serait difficile, pour nous qui sommes autour de vous, de nier vous avoir remarqué.

— Je ne veux pas que vous ayez des ennuis.

— Alors, partez tout de suite... s'il vous plaît.

Il me sourit comme si nous allions nous revoir

pour passer la soirée ensemble. Je jette ma faux dans le fossé et j'ai envie, c'est bête d'aller lui serrer la main. Il insiste :

— Quelques-uns ont bien besoin de gagner. S'il fallait...

— Vous vous êtes fait comprendre clairement. Salut...

Il s'en retourne où il était, sourire aux lèvres comme s'il était venu demander l'heure. Un vieux le regarde plus loin, il lui fait un signe, le pouce en l'air, le vieux reprend son ouvrage. Le pouce en l'air, signification : « T'en fais pas, il s'en va ! » Pas malin à comprendre. Je comprends, je m'en vais. Mon cœur bat... je ne sais ce qui m'arrive. Le cœur me bat plus vite. J'ai une certaine peine de m'en aller. Je me sentais bien rassuré parmi ces faucheurs, pauvres hères tout comme moi, issus de la misère à vivre, comme moi. J'ai une certaine peine à m'en aller. Le soleil s'est remis à descendre un peu, un vent intermittent et trop chaud souffle de l'ouest. Je marche vers lui, sur lui, l'appelant à mon secours...

En travaillant, nous étions parvenus à une croisée de routes. Un chemin pavé mais plus étroit conduit vers Ste-Monique et Ste-Scholastique. J'ai repris ma faux. Sait-on jamais... Ainsi équipé, j'aurai l'avantage de paraître plus fermier, allant ou revenant de ses champs. Une dernière fois, le cœur serré, je veux me retourner pour voir mes camarades de quelques heures. Ainsi, ils savaient tous qui j'étais, ils savaient, de toute façon que je n'étais pas un faucheur comme eux.

Voilà que la douleur se fait plus bête, de les voir l'un après l'autre, me saluer discrètement de la main. Je reste figé au milieu de la route secondaire, je lève mon chapeau. Chapeau au silence, à la solidarité des pauvres types, à la discrète conspiration. Je lève le pouce, je m'en vais. Soyez rassurés, mes bons amis d'une heure ou deux, je m'en vais. Je remporte mon destin traqué, je remporte tout. Ne soyez plus inquiets, fauchez en paix les herbes salies et longues qui poussent entre les casseaux graisseux et les mouchoirs de papier. Fauchez jusqu'au soir, épuisez-vous en toute quiétude mes gentils compagnons de la misère...

Le grand blond s'est mis à chanter : « Si je meurs, je veux qu'on m'enterre dans une cave où y a du bon vin... » et tous les autres entonnent derrière lui... « dans une cave, oui, oui, oui, dans une cave, non, non, non, dans une cave où y a du bon vin... » Et moi, je m'en vais, la faux sur l'épaule, porté par les voix rugueuses de mes pauvres amis. Mon cœur se détend. Le vent humide et chaud me reçoit et m'enveloppe et m'attire...

Les voix s'entendent de moins en moins : « Ici gît le roi des buveurs, ici gît, oui, oui, oui, ici gît, non, non, non, ici gît le roi des ivrognes... » Ça y est : j'ai encore douze ans, mon père est le roi des ivrognes, il me cherche pour me battre un peu, à son habitude, mais moi, je marche vers chez Ubald, le fermier, celui qui est si doux, qui a le visage tout brun et qui semble toujours rire des yeux...

St-Joseph du Lac n'est pas tellement loin... je grimperai jusque-là, en marchant un peu vite, j'y serai avant la tombée de la nuit. Il me reconnaîtra et il me gardera à coucher dans le haut de sa grange, puis demain matin, sans poser de questions, il me mènera dans ses vergers, sur sa charrette, et il me dira :

— Fais attention aux pommiers avec ta faux, fais le tour large, fais le tour large !

Mais Ste-Monique est loin et je voudrais manger. Cette maison là-bas, la première, et j'ai peur d'avoir peur ! Je cognerai à la porte du bas-côté comme font les quêteux et... et je trouverai bien le visage qu'il faudra prendre pour ne pas effaroucher la paysanne. Je trouverai les mots. C'est une grande maison — et elle est encore loin. — J'ai donc le temps de m'asseoir.

de m'écraser au bord de ce chemin bleu et de rêver que je suis libre...

Là-bas, très loin, très loin, des ombres noires et courbées qui gesticulent en cadences régulières, des hommes qui travaillent au soleil... et qui ont le cœur à chanter, eux, rien que parce qu'ils n'ont pas tué celles qu'ils aiment...

« ... Si je meurs, je veux qu'on m'enterre... » Quoi ? J'ai bien le droit de fredonner ? Non ?

CHAPITRE SEPTIÈME

« Ferme ta gueule ! Tu as bu... Tu ne sais pas boire... Tu n'avais qu'à ne pas me suivre. Tout est de ta faute. Tu es morte de honte maintenant. Tu n'es bonne à rien. Tu ne vaux pas mieux que moi. J'ai fait exprès... Et maintenant, qu'est-ce que tu pourrais bien me reprocher ? Plus rien. C'est ça, ce que je voulais. C'est pour ça que je les ai laissé te faire tout ça... J'aurais pu les payer... Ce parc, ces lumières. Cette roue illuminée me faisait un fameux siège. Je trônais. Je régnais. Je permettais à deux salauds de te connaître à fond. Je « permettais, » j'étais magnifique... Suzanne... »

« Pourtant, à un moment, à un certain moment, bêtise, je ne voulais plus, je me suis mis à crier, à gueuler d'arrêter le manège... Toutes les petites musiques et les cris et tous les rires du parc enterraient ma voix. Je voulais sauter, passer par-dessus ma petite cage... et cette grosse négresse à mes côtés qui jappait « Are you sick ? Are you crazy » Et elle frottait sa grosse main sur ma cuisse avec un rire plein le visage, un visage bouleversé, on aurait dit, par mille nuits de débauche. Mais je ne pensais qu'à « ta » débauche. Ah, tu peux brailler maintenant que tu t'es laissé faire comme une chienne. Ferme ta gueule. »

« Ferme-la ! Non, ce n'est pas ma faute. Au restaurant du parc, tu voulais m'enrager. Tu te laissais « embobiner » comme une gamine. Je ne bougeais pas, tu as bien vu... Ce n'était pas le bon soir pour le coup de la jalousie, tu aurais dû le comprendre ! Mais tu préférais continuer, continuer à boire et à danser avec ces deux rufians aux cheveux grassement peignés, au teint de cuivre, aux habits roses et beiges ! Tais-toi, je ne suis pas si certain que ce soit par jeu... Je me suis toujours demandé si tu ne garderais pas toujours un certain goût pour l'avilissement. Oui, oui, pour l'avilissement... »

« Je dois même t'avouer n'être pas certain si, moi-même, je ne me suis pas fait prendre... J'ai été attiré vers toi, le premier jour, sur ce bateau à excursions romantiques, par tes jambes, par ta démarche, par tes longues cuisses sous ta jupe serrée. Et tu le savais. Tu connais bien cette démarche, puisque tu peux la prendre à volonté. Un autre n'y verrait rien. Mais moi, moi je sais à quel moment tu l'adoptes, crois-tu que je ne vois rien ? Quand je suis en colère contre toi, oups ! mademoiselle se met au pas, au pas malin de l'envoûtement... Tes hanches s'étirent, se tournent, ta taille se cambre un peu, ta poitrine remonte et le tour est joué ! Avoue-le. Je ne suis pas dupe ! Sur ce parquet de danse, tu m'as fait le coup dix fois, cent fois... Et tu vérifies en plus, tu viens me regarder en revenant à notre table, juste dans les yeux, en te penchant au-dessus de moi. Hypocrite, avec un sourire de vierge inconsciente... »

« Mais tu vois où ça t'a menée ? Tu vois... ils ne t'ont pas ménagée ! Tu as les bras tout rouges. Raconte-moi, tu te défendais ? Tu ne voulais plus ? Pas ça ? Quoi ? Sont-ils raffinés, ces deux jolis jeunes hommes ! un peu jeunes, tu ne trouve pas ! Tu préfères ?... Ah, ta gueule ! Ah non, vraiment, tu n'aurais jamais cru...? Pas jusque-là. Je ne suis pas un homme ? Je suis un monstre ? Ça recommence, je le sais. Pire qu'un démon. Oui, les gens, le bon monde, les bonnes personnes dont le chemin de ma vie est semé me disent tous ces choses ; je suis un monstre.

« Eh bien, tu vois, j'ai voulu te le prouver. N'en parlons plus. Mais tu ne veux pas fermer ta grande gueule... Oh, Suzanne, je te hais. Non, reste, ne t'en vas pas... Tu sais bien que d'une certaine façon, je

regrette ce qui s'est passé. Tu ne trouves pas que tout
le monde, ici, semble rire... de moi. Je suis malade.
Nous avons mal bu. Il faut donc se dépêcher d'apprendre à boire, sinon... je ne sais à quoi, à quel abîme,
cette boisson nous conduira une bonne fois. Une mauvaise fois. Une fois pour toutes... Je pourrais bien te
tuer... »

* * *

Ah, voilà. C'est là. C'est ce que je voulais me
rappeler. Oui. Tout se précise maintenant... Je peux
me souvenir distinctement de cette soirée affreuse.

Il me semblait l'avoir déjà menacée. C'était donc
un souhait... Ce soir-là, le parc Belmont gémissait
comme un fauve immense et déchaîné, et, ce soir-là,
après une folle aventure, une chose insensée et si bête,
je disais à Suzanne : « Je pourrais bien te tuer ! Et
voilà qu'elle se blottissait tout contre moi. Et j'ai res-
senti un choc si grave qu'il me fait mal encore, rien
qu'à y penser. Elle colla sa tête sur moi, comme un
petit chat fragile et soumis... Et je sentis, sans qu'elle
puisse me le dire, qu'elle avait envie de mourir... Et
cela me grisa encore plus fort que tout ce que j'avais
bu depuis le début de cette infernale soirée. Cela me
saoula si fort que je dus m'accrocher au petit orme à
côté de nous. « Elle veut mourir, elle veut mourir », me
répétais-je, « elle veut mourir », et j'admirais cette sou-
mission, ce goût, si simple pour elle, d'en finir avec
tout...

Je me laissais aller à songer à sa vie, à sa misère,
à sa bêtise : car ce n'est qu'une bêtise que de vivre
jour après jour, devant les machines turbulentes d'un
atelier de couture minable. J'avais le cœur serré, ma
respiration s'énerva. Je la pris dans mes bras pour
lui dire que je la protégeais, que je l'aimais toujours.

Nous étions semblables et cela me remplissait

d'une joie totale. Etre pareils, dans un trou d'existence très creux et très noir...

En ce moment, elle reposait, enfin, quelque part, sur les dalles de la morgue de St-Jérôme, et tous les policiers de la province se donnaient la main, se donnaient le mot, se donnaient ma description, formant une très longue chaîne, une chaîne aux mailles si grosses que je pouvais aller et venir en les traversant, mais qui, finalement, m'attraperait, car la chaîne va et vient, revient et retourne en tous sens... Elle finira par m'accrocher dans ses mailles... mais je ne crains rien... pourvu que je ne revoie jamais Suzanne... Ça, je ne le supporterais pas.

Je ne crains rien et ce n'est pas parce que je suis enfermé ici, dans l'église de Ste-Monique, semblable à toutes les églises de campagne. Je ne crains rien parce que je ne sais pas ce que j'ai fait. Parce que j'ai le sentiment d'avoir obéi à une espèce de loi intérieure qui m'ordonnait de délivrer Suzanne et de me délivrer en même temps. Je ne crains rien puisque je m'endors... J'ai marché jusqu'ici, hésitant devant l'entrée de chacune des fermes rencontrées sur mon chemin. Non, je ne voulais pas parler aux gens, pas déjà, pas tout de suite, je n'aurais pas été capable de parler de la pluie et du beau temps à un paysan, puis de lui demander à manger. Je n'aurais pu prendre cette bonne face d'honnête vagabond qui aurait pu rassurer les gens des fermes rencontrées. Pas tout de suite. Alors, j'hésitais une minute avant d'arriver à chacune des maisons, puis une minute pendant que je les dépassais, et je continuais toujours. Et le soleil m'écrase lentement au sol, mes pieds enflent et me pèsent un peu plus à chaque pas. Je pourrais tordre ma chemise à carreaux de faucheur de bord de routes. Mon chapeau de paille me serre la tête comme un anneau de fer. Je l'enlève et le remets cent fois. Et, enfin, la croisée de chemins, l'église sur un coin de route, celle qui traverse le minus-

cule village et mène, par Ste-Scholastique, vers Lachute.
Et j'entre.

Un peu d'ombre. Je souffle, je m'écrase sur un banc,
le dernier. Très mauvais lit. Une cigale, par son cri
me conseille de rester un peu là-dedans, me répète que
dehors, le soleil crève tout. Il me semble que je traîne,
sous mes semelles une large couche de ciment. Alors,
j'enlève mes souliers et je ferme les yeux... Près de moi,
une série de lampions allumés clignotent, comme se
répondant à coups de petites lueurs. Il me semble qu'ils
font une petite musique, il me semble entendre une
petite musique... Mais mes oreilles se ferment sur le
bruit des prie-Dieu qui craquent, le tic tac de l'horloge
antique... La petite musique sourde, invisible, bat son
plein feu, qu'est-ce que je dis... Qu'est-ce que je pense ?
Toujours Suzanne, cette petite folle, cette sotte fille
que... j'aimais tant !

— « *Il y a des brins d'herbe, hauts comme des
arbres, une sauterelle est un monstre préhistorique...
cette lumière est de cuivre bouillant. Tout se brouille
et se mêle, je refais mon jeu, mes cartes sont de fer.
Je les lève péniblement, les range, les jette l'une sur
l'autre... Je dois pouvoir les retourner... une lampe
de sanctuaire est un pauvre lustre... Le rideau se
lève... mes personnages, mes personnages... Ce rêve
me permettra tout. Je dois reconnaître tout le monde... une dernière fois avant d'être pris, car une
fourmi me guette du fond de son puits, dans le sable
du chemin... Qui sont mes cartes... Je joue ce que je
peux : mon père me regarde jouer en riant... ma mère
danse et chante au « grill » des enfants perdus... c'est
de l'autre côté de la rue... le théâtre est vide, pas un
chat... La lampe s'éteint... mes cartes deviennent invisibles... Là, une lueur, celle de l'enseigne lumineuse
du café de la mère ivrogne : carte du défiguré de mon
enfance... Un juge lui donne la main. Un malheureux
coup de pelle ! Et la voix de mes pairs, bon jury : cou-*

pable ! Un vrai coup de tonnerre ! Un malheureux
coup de pelle. Au jeu, rien ne va plus : mon père cabo-
tine, il montre son mollet taillé au rasoir : carte acca-
blante. Et le tonnerre encore : coupable ! Quoi ! Un
malheureux coup de rasoir. Je montre mes fesses rouges
comme la lampe du sanctuaire. Comparez et hop ! un
autre bon juge d'enfants, très beau, vous savez, le genre
paternel cinématographique, photogénique et télégéni-
que ; il me montre du doigt comme on montre un chien
à vendre, dans une-exposition-pour-dames-de-patronage-
pour-venir-en-aide-à-l'enfance-malheureuse ! C'est bien !

Y a-t-il de bonnes âmes dans l'assistance et on
entend des âmes tousser, cracher, éternuer, ah, ce ne
sont pas de vraies bonnes âmes. On repassera. Faites
vos jeux. Et la lueur de la mère ivrogne aux tubes
fluorescents montre une autre carte, la fourmi se cache
un peu mieux. Et c'est la carte-Driftman, couronné
comme un roi... et hop, aussitôt, ma reine-dérision,
Suzanne, échevelée sous son diadème, déshabillée, et
qui regarde en pleurant et en mordant la lèvre : coupable, coupable, coupable, le tonnerre gronde et ça y
est enfin : boitant, la fourmi, au son de deux tambours
à demi crevés, vient vers moi en se léchant les pattes...

Tout à coup, la fourmi, maligne, se rapetisse, monte
avec peine sur mon index et s'approche de moi avec
un beau courage. Je sais qu'il ne faut pas entraver
le cours de la justice, je me laisse faire comme entre
les mains de mes juges d'enfants : elle a disparu dans
mon cou, le tambour le moins crevé bat le mieux :
elle apparaît, escaladant mon menton, et boum et boum,
rataboum, la voilà en gros plan : elle est impression-
nante. Elle escalade mon nez et vient me regarder dans
l'œil : stop ! je ne joue plus...

* * *

Mais oui, il suffit d'une fourmi qui vous chatouille

le nez pour réveiller un fragile dormeur. Et c'est être
le plus fragile des endormis que de dormir le long d'une
route, dans un champ inconnu, caché des policiers,
les mains, les bras, les cuisses, les genoux, les pieds
tout frais sortis d'un égorgement à l'eau... Lève-toi
pépère et sauve-toi un peu plus loin... Suis-je plus
éloigné de mes chasseurs ? Non. Mais c'est s'éloigner,
que de fuir cette piscine de Ste-Agathe, ce corps aimé
à la folie, maintenant gonflé d'eau par ma faute, par
ma faute, par ma très grande faute ! Existera-t-il une
minute, une pauvre petite minute, seulement une,
Dieux et Diables, une seule... où je pourrai oublier
avoir tué celle que j'aime... encore !

Qui va là ? Tic-tac, tic, tac... les lampions se
sont tus ! Il fait presque noir dans l'église de Ste-
Monique...

— Voulez-vous me suivre jusqu'au presbytère ?

C'est une bonne voix. Pourquoi m'affoler. Calme,
mon cœur, calme ! qu'as-tu ?

— Voulez-vous me suivre, mon ami !

Oui, mais on ne sait jamais, ce type, ce bedeau, ce
n'est que le bedeau, avec toutes ces clefs à la main et
ces mèches cirées à allumer les lampions, on ne sait
pas, il peut bien écouter la radio, il peut bien savoir !

— Je vous suis. Je vous suis.

J'ai bien le droit de m'étirer un peu. Je viens de
dormir au moins trois heures. La porte de l'église est
grande ouverte, le ciel s'est assombri. Idiot, ce n'est
pas le moment de constater l'heure et la teinte du
ciel... Pense donc un peu à ce qu'il faut faire pour
échapper à ce bonhomme à la barbe longue qui agite
ses clefs comme des menottes, et qui se tient si loin
de toi, qu'il montre bien qu'il sait parfaitement à qui
il a affaire.

— Le curé veut vous voir... il... il voit... il a vu...
Je lui ai dit... que vous êtes... un... vagabond qui a
peut-être faim...

Menteur, sale menteur. Cesse de bafouiller si misérablement. Au presbytère, ils sont tous là, le maire, le chef de police ? Non ? Rusons, rusons...

— En effet, j'ai un peu faim. Votre curé est bien aimable...

Je boutonne ma chemise, remets mes souliers, et je réponds à ce sourire gêné par un sourire qui se veut aussi timide et sincère !

* * *

C'était un bon porte-cierge, bien plaqué or. Le bonhomme qui a commis l'erreur de me précéder vers la sortie, va reconnaître quand il s'éveillera, que c'est un chandelier solide... et je crois qu'il ira se faire panser chez son curé, car je ne l'ai pas manqué.

Dehors, rien d'anormal... Je vois... J'imagine... On me donne à manger, on est très poli, très hypocrite, le curé est un homme affable. Le bedeau a disparu, évidemment, il est allé faire un appel téléphonique, très intéressant. Le curé veut me faire plaisir, il va jusqu'à offrir de me confesser et de communier... Ainsi, je partirai vers mes juges, l'âme propre de toute souillure, prêt, empaqueté pour le paradis.

Merci quand même. Ce sera pour un autre, un voleur de ciboires et de calices, je vous le souhaite. Vous devez vous ennuyer dans votre petit village, je vous pardonne votre tentative. C'est très compréhensible. Au revoir Ste-Monique ! Ses habitants ne me regardent pas passer, c'est l'heure du souper ! Alors tout le monde est à sa soupe, un si bon moment. Certain, bien certain que vous ne voulez pas sortir sur vos perrons pour regarder défiler la parade d'un homme traqué ? Certain ? Je peux marcher plus lentement pour vous faire admirer la crâneuse démarche. Ou bien, je peux m'asseoir ici, au bord de cette clôture et attendre que vous ayez fini le repas du soir ? Vous n'y tenez pas, habitants de Ste-Monique ? Très bien alors, je passe...

Je passe... Je passe le chemin du village, je passe le chemin de fer à une voie, je vais à sa petite gare comique, d'un rouge d'ennui, et je ne trouve pas de mégot, je pisse sur la porte, pardon. Je passe... et là-bas, un autre village. Et ce sera comme ça longtemps. Des villages, des villages remplis de bonnes gens qui ne tuent personne.

Je voudrais bien vous railler, mais je ne peux taire cet atroce sentiment, l'impossibilité de devenir quelqu'un comme vous. Quelqu'un qui laisse couler le cours de sa vie, sans histoire, avec des saisons qui défilent dans la paix. Sans se cacher, un homme doit être heureux, car, moi, je me cache depuis ma naissance... Oui, je me suis toujours caché de tout le monde, ou pour fuir un châtiment, ou pour savourer un fruit défendu, et tous les fruits de l'existence m'étaient défendus. Mais j'ai commis, enfin, le geste qui va me délivrer de cette vie de chien et je ne sais ce que j'ai, ce qui me prend, mais je fuis ce moment, reste de folie, je fuis pourtant cet instant béni et souhaitable où tout va s'achever pour moi, cette quête que j'ai faite, non de porte en porte, mais d'homme en homme. Comme si je croyais impossible cette fin.

Je me décide pourtant, encore une fois, à quêter, car si, à cette porte, je ne trouve pas un gîte pour la nuit qui vient, je vais mourir de fatigue sur le chemin comme un crapaud écrasé sous les roues d'une auto. Et je ne suis pas un crapaud. Pas ça tout de même... alors, j'y vais. Cette maison ou une autre... j'y vais avec le courage d'un tué !

CHAPITRE HUITIÈME

Enfin, la course se fige. Je peux souffler. Enfin, je peux me reposer sur ce lit très haut, au grenier de cette maison. J'ai bien fait de venir. J'ai bien fait de me décider, de frapper à cette porte. Ce bon rayon de soleil sur mon corps nu. Cette lumière au caramel sur le bois verni des murs, J'ai passé une nuit d'innocent. J'ai une petite barre au ventre de crainte que ce soit la dernière !

J'ai pu manger, hier soir, à la table de ce paysan qui n'a peur de rien. Il ne craint rien. Il m'a ouvert, m'a jeté un coup d'œil, a tiré sur sa pipe, a regardé autour, d'un grand regard habitué, m'a simplement parlé, comme à un autre paysan :

— Belle soirée « en perspective » ?

— J'ai faim et je voudrais me reposer un peu.

— On a assez à manger pour un de plus ! Vous avez l'air d'un gars qui marche depuis hier !

— Je marche depuis hier... Ils me cherchent ! Ils vont m'avoir tôt ou tard !

Je ne sais ce qui m'a pris devant tant de bonhomie, si peu de méfiance, pareille tranquillité, j'ai eu envie de tout lui dire :

— Mais avant de me faire pincer, je voudrais avaler quelque chose. Vous savez, je pourrais mieux me défendre... Je sais pas, si vous voulez, sinon... je sais pas, je m'en irai... vous ferez ce que vous voudrez...

Et je fais quelques pas pour m'en aller. Je regrette d'avoir parlé... je suis las.

— Restez voyons. Il doit y avoir un petit moyen de se comprendre. T'as fait un mauvais coup ? On en a tous fait, ou bien on en fera...

Il se met à rire et se penche au bas de la marche

de son perron pour tirer sur une branche morte.

— On se dit « tu » ? Tu peux entrer, je dirai à la femme et aux enfants que tu es l'aide que devait envoyer un ami de St-Elzéar. Rentre.

Et ça n'a pas été plus compliqué. Il m'a « tiré » une chaise. Il m'a présenté :

— C'est Paulo, celui-là. L'aide à Maxime. L'écœurant, il l'a laissé marcher de la croisée de Ste-Monique jusqu'ici. Il se meurt de faim !

Et « la femme » a ouvert sa soupière, puis son pot de « fricassée ». Je mangeais, les yeux dans l'eau. Quoi, se pouvait-il, encore une fois, encore un peu, que le monde soit bon ? Un petit peu bon, pour moi ?

Repu, je me suis levé et j'ai remercié. Je marchais vers la porte en me disant que j'avais trop parlé.

— Où que tu t'en vas ?

— Bien, je veux pas déranger plus, je...

— Tu vas tomber de fatigue, ça se voit.

Il parlait bas. Sa fille et ses deux garçons lavaient la camionnette, dehors. Sa femme essuyait sa vaisselle dans un coin de la cuisine.

— Vous auriez de la place pour que je puisse me coucher ?

— Ben voyons, c'est certain ! Monte avec moi.

Il ouvre la porte d'une petite chambre et me montre le lit d'un geste invitant. Je ne peux me défendre de m'en approcher. Il y a de ces matelas bourrés, si épais, si moelleux, je me laisse tomber dessus. Mes yeux se ferment. Comme l'Aline du restaurant, il me parle et je dois me tenir les yeux ouverts pour l'entendre et ne pas sombrer dans un sommeil qui, il me semble, va durer toute l'éternité.

— Moé, mon gars, j'suis pas un enfant de chœur. J'ai vu du monde. J'ai vécu en ville pendant dix ans. J'ai fait pas mal de bruit, pas mal de petits commerces, de la boisson, des maisons de chambres, pas mal de misère. Un jour, le père Achille, il en a eu assez d'avoir des complications. Je suis revenu sur la terre de mon défunt père. J'en ai pas pour long-temps. Je l'espère. Il est venu deux petits juifs que j'aime bien. Ils ont des projets : ma terre pour des maisons, tu sais, comme il en pousse un peu partout autour. Avec l'autoroute, on est proche des villes : St-Jérôme ? t'es rendu en dix minutes, Montréal ? en vingt minutes. Seulement, ça retarde.

Achille voit bien que je n'entends qu'une partie de ce qu'il raconte. Il vient s'asseoir à côté de moi, sur le lit, et me force à me relever en me tirant la tête par les cheveux. J'ouvre les yeux grands de sur-prise. Il a des bras de géant.

— Là, il faut que tu me comprennes bien. La terre, elle n'est pas encore vendue. En attendant, je suis pas millionnaire. Je suis prêt à t'héberger aussi longtemps que tu voudras, seulement...

Il me fait un geste, pouce sur l'index. Je lui remets mon porte-monnaie dans la main et je m'allonge. Mais il me relève, moins durement, en souriant.

— Non, garde ça. Ce que je veux, c'est de la grosse galette. Je sais bien que je suis, pour toé, une vraie planche de salut. Une vraie. Non ? Est-ce que je me trompe ? Bon. Tu dois avoir tes amis en ville ? Alors, demain, tu écriras. Il faut qu'ils se mêlent de te trouver de la grosse galette ! Tu me comprends ?

Je comprends très mal. Il me tient ! Otage ? Chan-tage ! Peut-être simplement un prix de pension un peu exorbitant, en effet, ça doit se payer. Je comprends : très cher. Il a raison. J'achèterai son silence.

— Vos prix seront les miens.

Il rit de bon cœur, tranquillisé. Il me jette amicale-ment sur le lit, il tire les couvertures sous mes pieds. Il rit encore.

— Je vois qu'on a pu se comprendre. J'aime les gars intelligents comme ça.

Il vient de m'enfoncer la tête dans l'oreiller, d'un

geste paternel et bourru. Il me dit, avant de quitter
la chambre, appuyé sur la porte :

— On finira de se comprendre demain matin, salut
et bonne nuit.

* * *

Matin. Ai-je le droit de rester étendu sur ce bon
lit ? De sentir l'air du Nord se jeter sur moi comme
cent mains caressantes ? D'entendre ce coq crier à
tue-tête ? Toujours, chaque fois que j'ai tenu le coin
d'un petit plaisir, d'une petite jouissance, je me demandais si j'en avais la permission. Mal élevé, très mal
élevé ! Je dois me raisonner, cesser d'être inquiet,
d'avoir cette frayeur de voir venir le malheur après
chaque pauvre moment de plaisir. Jouissons du matin
frais ! Calme, mon cœur, calme... l'existence ne donne,
n'offre jamais rien, rien de bon. C'est un hasard, le
plaisir et tout ce que tu voudras, un hasard. Tu ne
dois pas toujours rembourser. Mais non. Il s'agit de
prendre sans y penser. Il n'y a personne à remercier.
Personne ne veut ton bonheur, donc, c'est un pur
hasard. Cesse d'interroger et saisis-toi de tout ce qui
passe sur toi. Etre bête. L'existence rêvée. Etre bête...
toujours tout essayer pour avoir quelque chose. Je comprends trop tard. C'est maintenant que ma vie devrait
ne plus questionner... Vivre comme une bête. Ne pas
commencer. Il est déjà trop tard ce matin.

Elle s'achève ma vie. Cette corde nouée à mon
cou, je n'ai pas voulu m'en défaire, en témoignage.
On monte... c'est lui, le père Achille, il vient finir de
m'expliquer son plan, un homme d'affaires ce brave
paysan !

C'est une grande fille maigre qui apparaît derrière
la porte. La fille d'Achille. Tout juste le temps de
tirer les couvertures sur moi.

— Pensez-vous que j'ai jamais vu un homme tout
nu ?

Elle va vers la porte du placard de la chambre.
Elle se remplit les bras de linge.

— C'est ma chambre. Le père m'avait pas dit.
J'ai failli coucher avec vous. Vous étiez couché tout
de travers... Vous dormez dur, j'ai jamais vu ça...
alors, je suis allée passer la nuit avec mon frère, le
plus jeune, Amédée. L'autre, il n'est pas plus drôle
que vous, mais le petit, il est pire qu'un lapin... Vous
avez dormi comme il faut ?

— Oui. Je me lève. Votre père est levé ?

— Lui ? Il se lève avant les poules. Il est aux animaux. Vous pourrez le voir au déjeuner. Salut.

Avant de refermer la porte, elle me dévisage et
me dit :

— Ne prenez pas tout le milieu du lit ce soir. Je
suis Alice, la plus vieille de la famille. Bonjour.

Qu'est-ce que c'est encore que cet énergumène ?
Elle était là, il y a un instant, elle n'y est plus ! Elle
n'avait gardé que le bas d'un pyjama usé, et ses seins,
trop gros pour un corps malingre, étaient posés sur le
tas de linge qu'elle tenait dans ses bras. Pourquoi venir
chercher son linge dans cet accoutrement ? Est-ce parce
que je suis un fuyard que tous les gens rencontrés me
semblent de vivantes caricatures ?

Le père Achille est un drôle. Il a fait rire tout le
monde au déjeuner. Il s'est moqué de Maxime, mon
pseudo ex-patron. Il a marché comme lui, une jambe
raide, l'autre se balançant en l'air avant de se poser.
Tout le monde riait sauf moi.

— C'est pas beau de se moquer des gens.

La fille d'Achille dit ça en me voyant impassible
aux mimiques de son père.

— C'est parce qu'il ose pas en rire ! C'était son
employeur, comprenez-vous ?

Achille me fait un clin d'œil. Il est très malin.

— Je suis allé t'acheter un paquet de cigarettes.

Il me lance un paquet d'Export. Remarquent-ils que

c'est en tremblant que je l'ouvre et que j'en tire une ;
Alice a frotté une allumette et vient tout près de moi.
Sa hanche se frotte à mon épaule, imperceptiblement.

— Toé, mon as, si t'enjoles ma grande, t'auras ça
d'enlevé sur tes gages !

Tout le monde rit de plus belle.

— Ou bien, tu vas payer plus cher de pension !

Nouveau clin d'œil d'Achille.

— A propos, dit-il, si on discutait d'argent. J'aime
pas faire travailler mes hommes pour rien et j'aime pas
loger les gens pour rien. Allons discuter entre hommes
derrière la maison. Alice, tu répares le pneu fendu du
camion. T'es encore allée « bourlinguer » dans les chemins de terre une partie de la nuit avec ton Napoléon ?
Va réparer les dégâts. J'aurai besoin d'aller à St-Jérôme
tantôt.

* * *

Tu peux parler mon vieux, je ne t'écoute pas. Toi,
Alice, fais un bon travail. C'est à moi qu'il va servir,
le camion, mon pauvre Achille, à moi, à me transporter
un peu loin de ta sale gueule de « business man ».

— Disons cinq cents « tomates » ! C'est pas cher !

— Vous avez une belle terre !

— Quoi, tu trouves ça cher ? La liberté, ça n'a
pas de prix.

— Une belle terre.

— Voyons, je pourrais te demander le double : mille
piastres ! Ce n'est rien de te cacher ? Sais-tu quels
risques je cours ? Tu chiâles sur cinq cents « tomates » !
Où peux-tu aller ? Veux-tu que je te dise ? Tout le
monde sait que tu rôdes par ici. En rentrant au restaurant, ce matin, première chose qu'on veut m'annoncer : il y a un assassin dans nos parages ! Je dis :
non, pas possible !

— Les cigarettes ? Tout le monde sait que vous
fumez la pipe ?

— Alice fume comme une locomotive. Son seul dé-
faut, ça p'is les hommes ! Trente ans, pas mariée...

— Alice, je m'en fiche. Descendez votre prix.

— Tiens, n'en parlons plus et va-t-en. Veux-tu que
je te dise : tu n'irais pas jusqu'au bout du village. Ils
ont dit qu'ils patrouillent partout les alentours. Tu
ferais pas un mille...

— Bon. Ça va, c'est dit. Tu les auras. Tu me tiens.

— Ah non. Tu acceptes ou tu refuses. Mais prends-
le pas comme ça. Je ne serai pas tranquille. Je vais te
dire une chose : Il parle en mâchant sa pipe et en
tirant dessus, la rallumant sans cesse à cause du vent.

— J'ai une carabine et je tire comme pas un ! Si... tu
avais envie de me, fausser compagnie... Paf ! Et je
n'entends parler de rien puisque tu es un maudit « gangster ». Légitime défense ! Fini.

Il se met à rire et marche au bout de la maison.
Des pas de course ! Sa fille était là ? Je le regarde !
Il me regarde.

— La putain d'écornifleuse !

— Elle a tout entendu ?

— On va le savoir.

Il fait quelques pas et jette sa pipe au bord de la
maison.

— Alice ?

Il a crié son nom et, docile, elle est là devant lui,
la pince à serrer les boulons à la main.

— As-tu fini avec le pneu ?

— Non !

Et une gifle s'est abattue sur sa face. Sa tête a tourné, grimace éloquente. Elle en a laissé échapper la
pince. Achille la ramasse tranquillement. Il la fait
tourner dans sa main, démentant le calme de toute sa
personne.

— Dis-moé un peu, maintenant, que tu sais tout
ce que tu avais pas affaire à savoir, vas-tu te la fermer ?

— Savoir quoi ?

Et vlan ! Une autre, plus terrible. Elle est tombée à ses pieds, mais elle sourit. Elle le regarde d'un air de défi, puis elle se tourne vers moi :

— Je ne te donnerai jamais. Mais lui, je le donnerais ! Pour une patate !

Elle se relève et s'en va. J'enlève la pince des mains d'Achille. Il va ramasser sa pipe, moi, je retrouve Alice, et, à voix basse :

— Je veux que vous finissiez de réparer le pneu crevé. J'aurai besoin de la camionnette avant longtemps !

— Justement, je voulais t'offrir la clef ; cette nuit, je te l'aurais apportée. Je voudrais partir aussi, tu veux m'emmener ?

— Cette nuit, je t'attendrai, là-haut avec la clef.

* * *

Et puis ce fut ridicule, toute la journée. Le vieux me regarda écrire la lettre S.O.S. à cet ami, purement fictif, de Montréal. Il fallait aller chez ma mère, puis, là, prendre l'adresse d'une amie, celle-ci connaissait bien un type, quelqu'un de riche et de fiable. Quelle invention ! J'écrivais pour ce richard imaginaire, ces mots sur un billet joint à la dépêche : « Tu sais ce que tu me dois. Tu m'as déjà dit que ce petit service rendu n'avait pas de prix, que tu serais toujours mon débiteur, alors, je fais aujourd'hui le prix : cinq cents dollars ». Et le reste pour le mensonge ! Le père n'a vu que du feu. Il était d'une humeur merveilleuse. La transaction allait se faire avec tant de facilité. Il prit la lettre et alla la mettre à la poste, très pressé, avec la camionnette. Il ne savait pas qu'il s'en servait pour la dernière fois, que j'allais me sauver de ses sales griffes de paysan calculateur, que, cette nuit, Alice, sa « grande », viendrait me retrouver pour m'accompagner chez... le diable ! Bon appétit Achille ! Il faut le voir avaler sa soupe. Il est heureux comme un roi. Je suis sa « providence ». Oh, Achille, si tu avais le bonheur de rencontrer un sale voyou comme moi chaque jour, il y en aurait de bonnes affaires à brasser, n'est-ce pas ?

Et puis ce fut l'étrange veillée. La soirée interminable. Amédée, le plus jeune, comiquement assis dans une énorme chaise berçante, regarde un catalogue d'automobiles, en couleurs. Il pousse des exclamations chaque fois qu'il tourne une page. A la télévision, passe-temps de toute la campagne, se déroule un long film d'amour qu'Alice dévore, assise à cheval sur une chaise droite. La table de la cuisine est chargée de tomates vertes, de piments verts et rouges, d'oignons par milliers. La mère coupe, pèle, tranche. Ses deux vieilles mains sont d'une agilité étonnante. Autour d'elle, au plancher, des pots s'emplissent un à un. Elle prépare les conserves pour l'hiver. Achille, accoudé à la table, parmi les oignons et les tomates, mâchonne sa pipe, un œil sur l'appareil de télévision, un autre sur moi. Il me raconte, par bribes, quand le film cesse de l'intéresser, ses démêlés avec la pègre et la police du temps où il tenait ses débits clandestins à Montréal. Le plus vieux, comme tous les soirs, me dit Achille, joue aux quilles à Ste-Thérèse.

* * *

Et puis, ce fut la fin de la soirée. La chambre, la nuit toute proche avec ses cris d'oiseaux, une lune tranquillisante, la fumée de ma cigarette qui joue à prendre des formes, une nuit toute proche qui me fait guetter tous les bruits de la maison.

A mes côtés, Alice ronronne encore d'un échange exécuté pour être aimable avec celle qui va me permettre de fuir ce paysan-maître-chanteur.

— Que dira ton frère quand il trouvera son lit vide ?

— J'ai dit à Amédée que je passerais la nuit avec toé !

— Le lapin n'a pas insisté ?

— Penses-tu, il a encore les reins cassés de sa dernière nuit !

Et elle m'entoure les hanches de ses bras, de son cou ; ses seins lourds sur mes cuisses — le bruit de la camionnette ! elle se redresse !

— La voilà. Je remets mon linge...

— Oui, je suis pressé de partir.

Nous suivons tous les mouvements de l'aîné enfin revenu de son club de quilleurs. La portière du camion se referme ! La porte de la cuisine s'ouvre, se referme en battant son cadre, ce n'est qu'une porte garnie d'un grillage et retenue par un mauvais ressort qui la fait claquer violemment en se refermant. Il y pose le crochet pour la nuit. Plus rien... le chœur des milliers de grillons semble accompagner notre guet. Que fait-il ?... Il éteint la lampe de la cuisine, il ouvre la portière du foyer du poêle et crache, c'est sa manie. Il entre dans sa chambre... et le bruit de ses pas, il crache encore, il ouvre sa fenêtre, on entend le crachat qu'il fait voler en l'air... Bruit d'une chute lourde sur son lit, une bottine choit au sol, l'autre... Silence... Il s'est déjà assoupi... Bravo !

Notre tour maintenant, c'est notre tour d'agir, mais sans bruit... Jamais je n'ai descendu un escalier plus lentement ! Les vieilles marches craquent, horreur à chacune... nous retenons notre souffle... On peut entendre ronfler l'aîné : sommeil rapide, excellente santé, bon pour nous. Soudain, surprise, il y a quelqu'un, là, dans la clarté, la lune nous le montre... Alice a serré mon bras... Ce n'est qu'Amédée, le lapin, il dort la bouche ouverte, couché sur le banc de cuisine, sa grosse face écrasée sur les couleurs chatoyantes d'une Pontiac dernier modèle que montre son cher catalogue. Nous, nous allons nous contenter d'un Fargo '54... Alice n'a pas trouvé les clefs à l'intérieur de la porte de l'armoire

de cuisine... Comme elle l'a deviné, elles sont sur le
tableau du camion. S'agit de démarrer vite :

— Si je faisais avancer le camion jusqu'au bord de
la route ?

— Mais non, ménage tes forces, monte, nous partons...

Elle fait tourner le moteur. Il me semble que ce
simple bruit réveillera toute la région... Elle allume
les phares, ce n'était pas nécessaire ! Ainsi nous ne
l'aurions pas vu, oui, lui, avec sa carabine, au milieu
du chemin, la pipe au bec... l'œil terrible... Alice se
penche :

— Je l'écrase, tiens-toi !

— Non, il va tirer !

J'enlève l'embrayage. Alice appuie sur l'accélérateur en vain. Un nuage, et toujours la lumière sur
Achille qui ne cligne même pas des yeux. Alice me
lance :

— Tu es un idiot !

Le vieux s'approche à pas mesurés. D'un geste
de sa carabine, il nous fait signe de descendre. Alice
descend lentement, avec une espèce de dignité qui m'é-
tonne. Elle ne cesse de le regarder... il la regarde aussi.
Il me semble que je n'existe plus, pas pour eux. Il me
semble que je pourrais passer devant lui, m'excuser
et m'en aller sans qu'il puisse m'en empêcher. Il est
tout près d'elle :

— Rentre et monte te coucher, j'ai à lui parler !

Alice le regarde encore un moment et elle se retourne lentement. Elle fait claquer la porte. Elle a
rallumé la lampe de la cuisine.

— Tu partais pour aller où ?

Il a fourré son fusil sous son bras droit et il frotte
une allumette.

— Je te demande où tu t'en allais ?

— Pas loin... un petit tour, prendre l'air !

Crac !

Je ne saurai jamais mentir comme il faut. Ce coup de crosse m'a jeté sur le chemin. La lune me regarde... combien de temps suis-je demeuré ainsi, étendu à ses pieds... Il fume, assis au bord de son balcon. Il regarde le ciel, le sommet des arbres se mouvant sous le vent. Il me jette un regard :

— Tu en mets du temps pour un malheureux coup de crosse ! Je te demandais où tu allais. Mais je m'en doute un peu. Ecoute-moé bien : je ne suis pas fou. Si tu voulais fuir comme ça à la sauvette, c'est que tu n'es pas trop certain que l'argent arrive. Je te dirai une chose : au retour du courrier, si les cinq cents tomates s'amènent pas, tu es fait, je te donne. Alors prends les moyens qu'il faut. Ecris encore, adresse-toé à d'autres, démène-toé... Moé, je te regarde faire, je livre tes lettres à la poste, j'attends... Je te le dis une dernière fois : malheur si l'argent aboutit pas, tu as jusqu'à après-demain. Ensuite...

Il frotte le canon de son arme et me fait un sourire qui me donne un frisson d'horreur. Il est sérieux, il se lève et tient la porte ouverte pour me faire entrer. Je passe devant lui et il me retient par la manche :

Je te le dis sérieusement, d'ici à après-demain, je veille, je ne dors pas, je te guette, qu'est-ce que c'est deux jours sans dormir. Le prix en vaut la chandelle. Bonne nuit !

Je monte une marche, je le vois donner un vigoureux coup de pied sur Amédée qui pousse une plainte, il le relève et lui fourre un coup de pied au derrière. Amédée va chercher son catalogue d'autos en couleurs et se traîne sur les marches de l'escalier. Achille me regarde :

— Où vas-tu ?

— Je monte me coucher !

— Reste là ! Tu vas coucher en bas, à mes côtés, viens. La vieille dort sur le canapé de la véranda arrière. Viens mon toutou !

Décidément, je ne m'échapperai jamais de ce vieux renard. Suis-je idiot, me voilà content d'être encore chez lui. Je préfère. Plutôt que de rouler dans son camion, me cachant partout avec cette Alice, malade d'hommes à traîner avec moi comme un boulet. C'est avec une certaine joie que je m'allonge sur le lit du vieux. Une nuit à passer, sursis bienfaisant. Je ne veux plus fuir, j'ai envie de le lui promettre. Il se moquerait de moi. Dormons dans les bras de la sentinelle. Lui, au moins, il tient à moi, il ne veut pas ma capture. Il fume sa pipe et regarde la lune, debout devant la fenêtre ouverte. Il se tourne à demi :

— Dans une minute le train pour Lachute passera !

Il secoue sa pipe sur son talon, puis il écrase les cendres allumées répandues sur le parquet.

— Je n'aime pas les trains Achille ! Depuis celui qui passa...

Qu'est-ce qui me prend à vouloir lui raconter, il n'a pas besoin de savoir... Oui, chaque train que j'ai entendu passer m'a fait songer à celui de St-Eustache, celui qui m'aida à commettre cet acte infâme...

Je ne veux pas y penser, je n'ai jamais voulu y repenser...

CHAPITRE NEUVIÈME

Le train de Lachute... je dors mal... il siffle... il siffle encore... il siffle de nouveau... encore... ce n'est pas le train de Lachute... non, je m'en souviens... c'est celui de St-Eustache... Je dis à mademoiselle Bélanger, « mademoiselle », de se tasser contre moi, car le train approche, il siffle terriblement... Elle a peur... l'accès de ce pont de chemin de fer est interdit aux piétons, je croyais que nous aurions le temps(!) Pas de chance, au beau milieu du pont, les sifflements... Je la retiens tant bien que mal. Elle se débat... Elle veut courir... elle tremble comme une folle... « qu'elle est, en fait ». Ses longs cheveux blonds lui voilent complètement la figure... Je lui dis de faire comme moi. Se coller à une des poutres de fer, c'est tout ce qui reste à faire. Nous en serons quitte pour un grand coup de vent, résister aux remous d'air, et le sifflement à rendre sourd. Elle a enfin compris mais elle ne cesse de trembler... Je lui crie de s'accrocher solidement et le train commence à déferler... Puis, je me laisse tomber en bas du pont ! Et voilà ! Il fallait y penser mademoiselle... L'eau est profonde mais je connais bien la rivière des Mille Iles, et ses remous. Le temps des randonnées en canot avec mademoiselle a servi à quelque chose. Me voilà sur la rive... Elle a dû prendre peur et se jeter sous les roues des wagons, je le souhaite. Je ne la vois plus sur le pont... Mais non. Elle est là-haut. Elle agite les bras, pleure, secoue la tête, lance des cris de folle, « qu'elle est en fait ».

*   *   *

Dans le bureau de la religieuse, directrice de l'asile pour malades mentaux, je répète ce que j'avais dit au téléphone, encore tout mouillé de ce plongeon dans la rivière.

— C'est comme je vous l'ai déjà dit.

— Vous êtes bien certain. Micheline vous a poussé ?

— Mais oui, pour rien, je ne sais ce qui lui a pris.

— Vous ne vous êtes pas querellés ? Où aviez-vous passé la soirée ?

— Au chalet du club de golf.

— Vous aviez bu... Je vois, c'était interdit pour elle. Vous le saviez. Dès votre toute première visite, lorsque vous êtes venu vous proposer comme escorte, je vous avais prévenu... Je n'ai pas envie de vous disputer. Soyez heureux de ne pas vous être blessé gravement en tombant.

— Ma sœur, puis-je savoir quand Micheline retrouvera de nouveau la liberté ?

— Oh... c'est grave... Elle a subi un choc curieux ! Je ne peux dire... Soyez courageux, ce ne sera pas avant six mois... Le médecin —

Je dois me lever et marcher vers cette énorme statue de sainte Thérèse pour dissimuler mon visage qui doit donner certains signes extérieurs d'une joie parfaite. Six mois, au moins, c'est bon pour elle. Je jubile. Ma vengeance est complète ! Mon mensonge fonctionne à la perfection. La religieuse, me croyant en proie à une peine atroce, vient poser sa main sur mon bras. Consolation des affligés : petit catéchisme, page : — elle ajoute :

— Soyez fort. Il existe des cas surprenants... Parfois un miracle...

— Je ne crois pas aux miracles !

Je réussis facilement à prendre un visage de colère.

— Je vois. Ce qui nous arrive vous fait tant de peine... vous voilà injuste envers la divine providence. Je vais vous demander de quitter l'hôpital. Je vais prier pour elle...

Je m'en vais, en songeant : « ne priez pas trop fort,

ma sœur, ma révérende sœur, pas trop fort. Si elle
guérissait trop vite, il me faudrait inventer autre chose
pour qu'elle vous revienne. Je ne veux pas qu'elle
guérisse pour épouser monsieur Jean-Jules Brière, avocat. Monsieur Jean-Jules Brière est un poltron... Il
s'est bien moqué de moi. Lui, il n'avait pas le courage
de servir d'escorte à mademoiselle Micheline Bélanger,
non, une folle, pensez-vous. Il fallait que ce soit moi
qui fasse faire les premiers pas du rétablissement, mais
après... »

Monsieur Jean-Jules avait rompu les fiançailles :
raison majeure, folie ! Il avait même commencé de
courtiser une autre demoiselle, toujours de Laval sur
le Lac, voyons ! Eh bien, quelle chance, moi, le « bum »,
la terreur de mon quartier, je pouvais aussi avoir l'in-
signe honneur de sortir, de promener plutôt, comme une
chienne de classe, de grand prix, une de ces demoiselles
de Laval. On disait même : quel beau courage il a ce
jeune homme. Pensez donc : amuser, distraire une malade, c'était beau. Et s'il ne possédait pas de diplôme,
s'il ne se destinait pas à quelque belle profession libé-
rale, du moins il n'était pas trop mal. Un certain vernis.
Grâce à l'ami parisien-de-cœur, Archambault, vous
savez bien, celui du mois de congé à l'armistice de
1945... Merci Archambault. Je peux dire : vous êtes
trop « paimable », avec la liaison. C'est bien ça ? Parlons peinture : je pouvais citer des noms : Rouault,
Picasso, Gauguin, Van Gogh, ta tata, ta tata,.. les
litanies des gens du monde ; littérature moderne : Sar-
tre, Camus, Malraux ; et des titres : les Mains Sales,
la Peste, les Justes, la Condition Humaine... et ces
sublimes, mon cher, ces merveilleuses, ma chère, ces
sensationnelles « Voix du Silence » ! Faites briller la
pupille, pincez-vous les lèvres, agitez les mains et voilà,
vous ferez très authentique...

J'étais malheureux. Après une heure de belle conversation, je m'arrachais de ma chaise longue et je

m'approchais de la fontaine du jardin, je penchais
un peu la tête pour me rafraîchir. A moi, le whisky sur
glace ne suffit pas. Micheline s'approchait et riait.
Elle me disait :

— Tu as été magnifique. Ça n'a presque pas paru.
Tu les détestes : Archambault m'avait prévenue. Il
m'avait dit : c'est un drôle de type. Tu verras. Il ne
parle de rien et on dirait toujours qu'il a attendu dix
ans pour pouvoir dire ce qu'il dit.

Moi, je la saisissais par la taille. Nous contour-
nions cet oiseau bizarre de bronze et de ciment de la
fontaine, et cachés de la famille en pâmoison devant
les dernières trouvailles des neveux et des nièces, je
mordais Micheline tant que je pouvais. Je ne l'ai jamais embrassée. On ne peut embrasser ce qui nous
échappe.

Une morsure pour chaque humiliation, pour chacune des questions de maman et de papa Bélanger :
« d'où venez-vous exactement ? Où avez-vous fait vos
études ? Que faisait votre père ? Etes-vous déjà allé
à Nice, non ? Ecoutez, il y a là, un bijou de chapelle,
c'est tout près, à Vence, on dirait un grand bain, c'est
si chouette, si rafraîchissant ! Vous avez envie de vous
mettre tout nu, c'est fantastique ! Ah, ce n'est pas un
endroit pour les prières ordinaires ! La chapelle de
Laval avec son « malheureux » campanile à côté, eh
bien, c'est du pipi de chat avec ses petits airs mo-
dernes ! »

Pourtant, malgré tout le ridicule dont se chargeait
à mes yeux, la grande partie de l'existence des Bélanger, j'en étais venu, peu à peu, à m'acclimater, sinon à accepter totalement leurs façons de vivre, du
moins à apprécier leur faconde, leur état perpétuel
fait d'enthousiasme, au moins de bonne humeur et
toujours d'une espèce de superconscience à propos de
la moindre chose, du plus petit événement. Et puis,
surtout, je ramassais les miettes de leur bien-être, de

leur vie facile. Tout l'été dernier se passa ainsi à partager leurs petits plaisirs mondains, leurs exclamations, leur bonne table, le jardin, la plage, le canot-automobile et la décapotable. Le père de Micheline devenait peu à peu un doux vieillard, désintéressé de son métier de politicien-notaire, occupé seulement de ses fleurs, de ses pelouses et de la lecture de ses livres sur l'astrologie, sa nouvelle raison de vivre.

La mère, elle, comme tout au long de sa vie de ménagère, voyait à tout. C'est elle qui remarqua les progrès de la guérison de sa fille. Un dimanche soir d'août, le jeu cassa. Je n'avais plus à aller reconduire Micheline à l'hôpital : mademoiselle passera la semaine ici. Et maman Bélanger me montra un certificat du médecin-chef de l'institution. On n'avait plus besoin de moi. Le rôle d'escorte prenait fin. On ne m'invitait pas à revenir vendredi prochain. Je comprenais le manège ! Monsieur Jean-Jules Brière avait fait un retour à la fiancée malade. Elle se portait tellement mieux !

Mais les desseins intéressés de la mère me laissaient froid. Ce qui me choquait était bien plutôt l'intérêt manifesté par Micheline pour ce beau garçon aux belles manières, à l'avenir si brillant. Elle l'admirait en nageur, en rameur, pour tout. Au golf, il était le champion, ce qui finissait d'auréoler tout habitant de Laval sur le Lac. Son père allait jusqu'à interrompre sa lecture astrologique pour converser avec le brillant jeune avocat, déjà directeur du personnel pour l'entreprise en produits chimiques la plus florissante de la province.

Evidemment je ne pouvais supporter la comparaison. Je redevenais, depuis son retour chez les Bélanger, une sorte de brute préhistorique. Je déparais les jardins, je jurais sur ce petit paysage arrangé pour nouveaux-riches politiciens. Je détonnais à côté de ce bel enfant blond : mademoiselle Micheline Bélanger, vouée au moins à avoir sa photo dans La Presse au soir du Bal des Petits Souliers, et plus tard, pour annoncer un mariage fastueux. J'avais compris, je n'étais plus utile à la famille ! Au revoir !

* * *

Trois semaines plus tard, un coup de fil de la religieuse de l'hôpital :

— Il faut revenir nous voir. Oui, on a dû interner Micheline de nouveau. Pas très grave, non. Une petite crise. On pourra la laisser à sa famille pour la journée du dimanche... Vous viendrez la chercher ? Bravo. Nous vous attendons.

Pensez-donc, un jeune homme de bonne famille comme Jean-Jules ne peut traverser, sans se diminuer, les grilles d'un asile d'aliénés ! j'y allai...

Moi, le publicitaire d'un journal ouvrier, « homme syndicaliste », on m'avait prié : « s'il vous plaît, ne nous parlez jamais de ces choses syndicales, jamais ». Moi, le fourvoyé, « dans un milieu si cocasse, si populaire », je n'étais bon qu'à me rendre au parloir d'une institution jugée « honteuse ». Cette belle jeune fille de bonne famille me considérait aussi comme excellent compagnon pour l'aller-retour. Mais j'allais démontrer que ma voix au chapitre pouvait bien avoir son importance...

* * *

J'étais malheureux... Contrairement à mes habitudes, j'avais toujours traité cette fille comme une grande dame. Avec elle, pas question pour moi de laisser la porte ouverte aux épanchements un peu violents, je me gardais bien d'une seule parole déplacée. Résultat : elle préférait aller écouter les histoires grivoises de monsieur Brière au club de golf. J'acceptais d'y aller... Mais entre St-Eustache sur le Lac et Laval, il y avait ce pont ! Mon plan m'était venu pendant

qu'ils dansaient au club, pressés l'un contre l'autre...
Moi, seul à ma table, à regarder le soleil tomber derrière les petites montagnes d'Oka...

* * *

Je l'ai entendu siffler souvent ce train infernal.
Alors, J'allais prendre un coup à la taverne, à la santé
de maman Bélanger ! A la mémoire d'une jeune fille
de bonne famille qui brûlait ses cheveux tous les soirs
dans sa chambre d'hôpital. Chacun sa manie Micheline, moi, je me brûlais l'estomac...

Chaque train qui passe sera toujours ce train du
pont de Laval. Et celui qui me fait sursauter dans
le lit d'Achille est encore le tien, le nôtre Micheline,
celui qui nous a séparés pour longtemps. Celui qui
empêcha un bien joli mariage. Il y aurait eu une
centaine de belles voitures, des fleurs partout, les tables
dehors sur les pelouses et moi aussi, sans doute, comme
un étranger, caché derrière la sculpture de fer aux
formes semblables à mon malheur, caché et qui regarderait couler l'eau de cette fontaine comme autant de
larmes refusant de jaillir...

* * *

— T'as peur des trains maintenant !
Achille est là, écrasé dans une grosse bergère
d'osier... Il tient sa pipe éteinte entre ses dents et me
regarde dormir et rêver, sa carabine sur les genoux.

CHAPITRE DIXIÈME

Qu'est-ce que j'ai à chercher Achille jusqu'ici ?
Je ne le trouverai pas ici. Il n'existe pas encore. Pas
encore ! C'est trop tôt !... Je revois tout... Je reviens
de Laval. Micheline n'a rien dit. Elle s'est laissé conduire. Pas un mot. Elle me regardait de temps à autre,
avec des yeux étranges. Je tremblais de peur. De
peur qu'elle retrouve soudain sa lucidité, son intelligence, sa mémoire. Sa mémoire de ce qui venait de
se passer. Je traîne ici, dans cette taverne, ces yeux-
là. Ils me suivent. Je les vois partout ! Dans tous
ceux des clients de cette bruyante et sale taverne de
de la rue Ontario.

Achille n'est pas là. J'ai besoin de tout lui dire.
Ah, si Micheline, soudain, s'était souvenu ! Si elle avait
crié : « Mais non, je ne suis pas malade, je ne l'ai pas
jeté en bas du pont. Il s'est laissé tomber lui-même.
Je l'ai vu ! » Eh bien, je n'aurais pas trouvé un mot
pour me défendre. Pas un ! Non. Je l'aurais regardée
avec délivrance, avec soulagement. Car, encore, je n'ai
pas agi autrement parce que je ne le pouvais pas. J'ai
appris trop jeune à me défendre. J'ai mal appris.
Micheline m'échappait. On allait se débarrasser de moi
sans façon. On ne se demandait pas si j'aimais mademoiselle Micheline. Ce n'est pas une question à poser
à un voyou tel que moi ! Il n'y avait même pas eu
d'explication. Comble d'humiliation. On n'explique
pas certaines choses. Elles devraient être lumineuses
d'évidence ! Achille, Achille ! où es-tu ? Il faut que
je te raconte. Oui, j'ai ce maudit besoin de chrétien
de m'expliquer, de m'excuser ! Je voudrais le crier
pour me soulager : « J'ai du remords. » Là. Comme
un sale petit bourgeois. Je ne devrais pas avoir ça.

Pas bon pour moi, ça! Pas juste. Quoi, moi aussi?
Même pour moi? Mais misère de vie, j'ai tous les
droits. Je devrais pouvoir avoir tous les droits. Au
moins le droit de me défendre! Je me suis défendu.
Achille! toi qui es une brute de paysan, attaché à
l'argent encore plus qu'à la vie, toi, tu dois m'écouter
et m'aider. Je te sais incapable de te scandaliser!
Voilà bien pourquoi je te cherche. Il me faut quelqu'un
pour me justifier. Et toi, Achille, tu ne peux pas être
ici, pas encore. Je ne te connais pas encore. Alors
pourquoi est-ce que je te cherche... » . . . .

* * *

— Ah! tu es là Achille. Il me semblait que tu
viendrais.
— Dors!
— Quoi, dormir? Qu'est-ce qui se passe! Tout le
monde est parti. On a éteint la lumière! C'est fermé
Achille? On nous a laissés dedans enfermés? Eh
bien, tant mieux. On va se servir de la bière en quan-
tité effroyable. Et je vais tout te raconter, tu vas voir!
— Maudit, ferme-la et dors!
— Non, Achille! Ah, les voilà tous revenus, et
la lumière!...

* * *

— « Deux « drafts » Bozo, eh, Bozo, deux « drafts ».
Un verre pour moi et un verre pour mon nouvel ami
Achille! Où est-il passé encore celui-là? Achille, ce
n'est pas bien! Tu te sauves, tu te caches! Tu ne
veux pas m'écouter! Pourtant, je vais pas t'ennuyer.
Pas de détail. Je te raconterai que l'essentiel. Simplement. Que c'était une belle fille, Micheline, que
j'avais bien le droit de l'aimer; à ma manière, bien
sûr, on aime qu'à sa manière, chacun la sienne. Tu
sais, elle m'a dit un tas de choses. Elle finissait de

me polir. Je commençais à avoir de belles manières...
J'ai bien le droit de brailler. Je lui devais toujours un
peu plus après chaque jour passé ensemble. Et puis,
je ne veux jamais devoir rien à personne. Alors, je
faisais du sang de cochon. Je voulais lui faire une
grande surprise. Une belle surprise. Ecoute bien.
Achille, moi le voyou, je voulais m'instruire. Mais
oui ! Quatre soirs par semaine ! J'allais, quatre fois
par semaine, suivre des cours privés. Pour elle. Ne
riez pas, vous tous, visages de merde. Un homme a
bien le droit de s'instruire, non ? Cesse, Achille, sors
de ta cachette. Je peux pas continuer à parler tout
seul. Les gars, dans chaque coin de cette putain de
taverne, se moquent de moi. Deux « drafts » Bozo.
Je t'ai dit, deux ! Deux... Achille, où es-tu ? J'ai
besoin de toi. Tu es mon seul ami... le seul qui me
reste... »

                    *   *   *

— Te voilà. Laisse-moi te serrer le bras. Achille,
tu es fort. Tu pourrais me défendre. Tu veux bien
être mon père, mon frère, mon ami, n'importe quoi.
Quelque chose là-dedans, choisi parmi tout ce que
je n'ai jamais eu ! Tu veux ?
— Veux-tu aller te coucher. Je ne veux pas te voir
debout. Je veux que tu dormes tranquille.
— Achille, pourquoi ferme-t-on toutes les lumières
aussitôt que tu sors de ta cachette ? On veut nous
séparer Achille. On ne veut pas que nous soyons amis !
tu te rends compte ! Il n'y a plus personne encore.
Oh ! Achille, pourquoi ce coup de poing ? Me voilà
étendu au plancher ! Sous la table ! Mais, je n'ai
même pas encore bu à ma soif ! Lui, c'est Bozo ! Bozo !

                    *   *   *

— « Tu les as tes deux « drafts ». Bois assis comme
tout le monde ! »

— Merci Bozo. Si tu vois Achille, tu me le dis, d'accord ?

— C'est ça, c'est ça !

— Vous le connaissez pas Bozo ? Un bon gars ! Un chic type, toujours prêt à aider tout le monde. Et hop ! Et hop ! Voilà comment on regarde le fond des verres. Bozo, deux autres !

Qu'est-ce qu'il me veut celui-là, à ramper vers moi, avec sa gueule de cauchemar ?

— Elle m'attend à la porte. Elle est enceinte !

— Toi, je ne veux pas te parler ! C'est Achille qui est mon ami !

— Tu la connais, vas-y. Va lui dire que je ne suis pas là !

— Je la connais ta petite juive. Tu lui as fait un petit et tu te caches depuis, comme si t'avais fait un crime !

— Elle n'est pas juive, c'est une israélite.

— Une israélite. Voyez-vous ça ! Tu nous fais suer avec ton israélite.

— Elle est trop jeune pour... pour que je la prenne avec moi ! j'aurais un tas d'ennuis. Va lui faire comprendre ça.

— Tu la trouvais pas trop jeune quand le moment est venu de jouer du canon, hein ? mon gros ?

— Vas-y, je t'en prie. Elle est là tous les soirs. C'est mauvais pour elle, dans son état avancé ! Va lui parler. Toi elle t'écoute, elle te respecte... Sinon, elle restera jusqu'à ce que ça ferme et je serai encore obligé de la battre dans la ruelle à côté pour qu'elle s'accroche plus...

— Je veux la paix. Je veux voir Achille. Ta petite israélite de quinze ans ne m'intéresse plus. Tu as laissé tout le monde s'amuser avec elle. Tu la forçais à se laisser peloter par tous les gars de la rue, et maintenant que tu as pu boire à sa santé, à ses frais, pendant des mois, tu voudrais que ce soit moi qui aille lui faire comprendre que... que tu es le roi des salauds.

le roi des écœurants. Merci. Ah ! tu m'ennuies avec tes deux gros yeux rougis et vitreux. Tu me fais oublier mon Achille. Je dois le retrouver. C'est un père, c'est un ami pour moi. Mais il est malin, il joue à cache-cache avec moi.

Achille, sors de ton trou ! Bozo, deux autres ! Faut-il que je sois en peine de me confesser. Tu es un enfant de chienne. Achille, tiens, viens, je ne te regarde pas. J'ai le nez sur ma table, bien collé. Eh. j'en profite pour sucer la mare de bière qui s'y trouve. Je n'ai jamais rien gaspillé. Je peux te parler là, tu m'écoutes ? Je vais t'étonner encore. Les cours du soir, ce n'est rien. Achille, Micheline écrivait, oui, des poèmes, de très longs poèmes. Et elle me les lisait. Ne souris pas. Elle me les lisait avec une grande confiance, avec ferveur. A personne, elle ne les avait jamais lus à personne d'autre qu'à moi. J'étais fier, tu sais. Tu dois avoir envie de rire. Tiens-toi bien. J'aimais ça. Oui, je trouvais ça beau. Très beau ! J'étais très heureux. Ecoute Achille. C'est quelque chose ça, tu sais, je me souviens de l'un de ses poèmes, il parlait de moi. Oui, elle m'avait dit qu'elle l'avait fait pour moi. Je vais te le dire. Tu te moques de moi. Achille, tu ne veux pas l'entendre ? Où es-tu Achille ? Tu me fais mourir ! »

* * *

— As-tu fini de gueuler comme un putois !

— Les lumières, Achille. Qu'est-ce que c'est que cette taverne, tout le monde a encore foutu le camp ? Je vais te dire le truc quand même, écoute :

« Il fera nuit et froid, et seul
    Je te ferai un nid au creux de nos souvenirs
    Il fera jour, chaleur et il fera tendre
        Tu me feras un nid au fond de nos peines. »

— C'est beau, c'est très beau, maintenant endors-

toi là-dessus. C'est la dernière fois que je te le dis !

— *Oh ! Achille, tu n'aimes pas la poésie ? Ce n'est pas beau ça. Tu n'aimes pas la musique ? Non plus ? Tu n'as pas honte !*

— *Je vais te fourrer un coup de poing sur la gueule !*

— *Tu n'aimes pas les belles choses. Bien sûr que tu n'es pas responsable. Tout le monde ne peut pas avoir une amie de distinction comme moi. J'en avais de la chance :*

*« Je te ferai un nid au creux de nos souvenirs
Tu me feras un nid au creux de nos peines » .*

Tu ne connais rien. Tu ne sais pas apprécier ! Rien. Paysan vulgaire, vulgaire paysan : Brute !

* * *

Aïe, Achille, tu frappes fort. Tu frappes trop fort. Je ne suis pas de fer. Tu m'as fait mal Achille. Je saigne du nez maintenant. Quel gâchis ! Tu auras à nettoyer la... table !

« Tu frappes si fort que tu as fait se rallumer toutes les lumières et tout le monde est revenu. Ça gueule, toujours le même vacarme, ces mêmes rires, ces mêmes cris démoniaques, ces mêmes gueules. J'ai pu admirer tout ça durant des années, des soirées entières, des fins de semaines complètes... je ne me lasse pas de ces rires gras d'animaux humains, ces rires d'une ivresse perpétuelle. Toujours ces sales faces qui boivent, ces gueules mal rasées qui s'ouvrent toutes, qui avalent, qui rotent, qui bavent, qui crachent, qui avalent encore, qui avalent toujours...

Bozo, deux autres... la table est rouge... la voix de l'annonceur à la télévision qu'on entend par moments entre les poussées de rires et de cris hystériques : « une balle deux prises... » Bozo, deux autres... « un homme au champ droit... » Bozo deux autres... « un beau lancer, une prise deux balles » Bozo ! Bozo ! deux

autres... « un coup sûr... pour Colavecchio... le compte
maintenant de... » deux autres, Bozo...

— As-tu vu les dernières de ma collection ?

— Va-t-en, cochon, je les connais tes séries de pauses
en couleurs, je les ai assez vues !

— Tu sais pas apprécier la nature !

— « Je te ferai un nid au creux de mes souvenirs.
Tu me feras un nid au fond de nos peines ! »

— Veux-tu m'en acheter ? J'ai soif !

— Va-t-en, cochon, tu détestes les femmes !

— Qui ça ? T'es fou ! T'aurais dû me voir avec la
dernière ! La veuve, un pétard, quarante ans. Tu lui
en donnerais vingt quand elle se met à l'œuvre.

— Va-t-en, cochon, éloignez de moi cet enfant de
cochon !

« Je te ferai un nid au creux de nos souvenirs ! »

— Veux-tu téléphoner à ma femme, « hic » ! Je peux
pas rentrer. Hic ! Elle va m'envoyer mon petit gars
et il me gêne, il m'engueule. C'est pour traverser Ontario et Ste-Catherine, après ça ira.

— Va-t-en, va-t-en toi aussi ! Demande à l'amateur
de photocochonneries !

— Une piastre sur la partie ?

— Va-t-en donc ! Allez-vous-en ! C'est Achille que
je veux voir !

— Tu connais la dernière ?

— Allez-vous-en ! Je veux la paix !

— Celle du curé et de la servante !

— Allez-vous me ficher la paix ?

— Celle de la putain et du ministre ? tu la connais ?

— Oui !

— Celle, tu connais celle du chien de chasse et du
mannequin ?

— Oui ! oui ! oui ! Bozo ! Bozo ! ferme les lumières
Bozo ! Ferme tout. Fais le noir encore. Je veux parler
à Achille. Je veux lui parler de Micheline. Eteins-moi

ça Bozo ! Fais-les taire, je t'en supplie, je vais devenir fou !

— J'ai perdu ma paye ! On m'a volé mon argent !
T'as pas vu ma paye ? J'en ai besoin, c'est vendredi.
J'ai des enfants, j'en ai huit, tu sais ; une belle famille
de chez nous.

— Décampe, ivrogne ! Décampe. Bozo, je casse tout !
Je t'avertis, tu me connais ! Qu'est-ce que tu as ?

— Rentre donc ! T'en as assez !

— Oui, je m'en vais Bozo ! Je m'en vais. Achille
doit m'attendre à la maison. Salut Bozo !

Salut misère, misère de mes frères, les parias !
Salut ivrognes de mon cœur, crétins, malheureux, salut
tavernes, mes trous de prédilection. Salut les gars !
Salut mes délices ! Charmants buveurs. Fanfarons !
Menteurs ! Raconteurs invétérés des douces histoires,
montreurs et voyeurs, salut ! Salut, maris fidèles qui
vont rentrer coucher sagement avec toutes les sales
filles de leurs histoire et de leurs magazines interdits,
de toutes leurs photos salopes. Salut sages époux, trom-
peurs dissimulés. Malheureux, frustrés, mes petits frères.
On vous reverra tous à la messe, dimanche, avec vos
bonnes petites figures de piété, une heure par semaine.
Salut mes pauvres enfants « nés d'une race fière, et
ta valeur de foi trempée, protégera nos foyers et nos
droits ! » Hic !

Tu n'es pas venu Achille ? Tu m'as laissé seul,
avec cette voix d'annonceur imperturbable au milieu
des cris et des rires : « une prise, trois balles... deux
hommes sur les buts... le compte est maintenant de... »

* * *

Je m'en fiche, tu ne sais pas ce qui me reste !
Une fille, une fille splendide aux longs cheveux noirs
qui porte le joli nom de Suzanne ! Elle a attendu toute
une saison. Elle a été sage et patiente. C'est ma sœur,
ma sœur de la misère et de l'ignorance. Nous nous

*ressemblons comme deux doigts d'une même main !
Je la connais depuis toujours. Elle ne peut pas se passer
de moi. Elle a attendu vaillamment que finisse cette
belle histoire entre moi et mademoiselle Micheline Bélanger, folle par intermittence, fille de bonne famille !
Suzanne savait, et c'est cela que j'ai tant de mal à
lui pardonner, elle savait bien que pour un voyou
comme moi, il n'y aurait rien de bon qu'une fille comme
elle. Adieu Achille ! Je vais retrouver Suzanne ! Ah,
ah, j'ai Suzanne, moi, Suzanne, elle, m'aimera toujours, et moi, moi, je lui reviendrai toujours ! »*

* * *

— Tu l'as noyée, idiot, ta Suzanne !

— Quoi ? Ce n'est pas vrai ! Ce n'est pas elle que
j'ai noyée. C'est l'autre, ou bien l'autre encore que
tu ne connais pas ! Et l'autre. Et ce professeur qui
me giflait parce que je ne savais pas tenir mes cahiers
propres, et ce père absent qui me battait tout le temps,
et cette mère tombant d'ivresse au milieu de la rue.
J'ai noyé tout le monde ! J'ai noyé ma vie ! J'ai noyé
ma misère, mes quêtes de petits bonheurs !

— En attendant, tâche de dormir !

— Achille, tu voudrais pas que je prenne froid ?
Tu tiens à moi, Achille. C'est la première fois que ça
m'arrive. Tu veux tirer les couvertures sur moi ? J'ai
froid Achille !

*« Je te ferai un souvenir au creux de mon nid
Tu me feras une peine au fond de ton nid. »*

— Ta gueule !

— Achille, ce n'est pas des manières de traiter
la poésie ! Paysan ! Ce n'est pas des manières d'endormir ton ami, ton frère, ton enfant ! Ton petit enfant... qui vaut son pesant d'or, ne l'oublie pas
Achille !

— Ta gueule et dors !

CHAPITRE ONZIÈME

Il y avait, quand j'étais petit, des matins comme celui-ci où je n'avais pas envie de me lever... Et pourtant, maintenant, il y a longtemps que je ne dors plus. J'ai vu le soleil se lever dans la maison, sur tout un côté. La porte de la chambre étant ouverte, j'ai pu voir la lumière rose de l'aube monter lentement du plancher, assaut paisible et mesuré des murs du corridor. Achille, lui, dort dans la grosse bergère d'osier du coin de la chambre, les bras croisés sur son gros ventre. Il est assis sur sa carabine ! Position inconfortable, mon pauvre vieux ! Plus confiance ? Tu as bien raison !

J'avais fini par m'endormir tout habillé, malgré le train de Lachute, malgré le mauvais rêve de la taverne. C'est donc Achille qui m'a enlevé ma chemise, mes chaussettes et mes souliers. Il a été gentil. Je lui avais demandé d'être gentil. Je me suis attendri. Tous les soirs de ma petite vie, je me suis attendri. La nuit, le silence, le repos, la halte, tout me portait à l'attendrissement. Que je fusse seul sur un train, dans une gare, roulant en auto : je devais « couvrir » les différents congrès, réunions sans nombre de syndicats, pour mon journal, que je fusse en bruyante compagnie, à moitié enivré, dans une sale petite boîte de nuit comme il en pullule à Montréal, je m'attendrissais toujours à la fin d'un jour. J'avais besoin de m'attendrir pour équilibrer avec le reste de la journée. Car mon « ordinaire » à moi, c'est d'être cynique, un peu brutal, un peu misanthrope. La venue de la nuit : et je compensais. Il suffit que le soleil s'éteigne, que le ciel tire ses rideaux noirs, que les gens cessent de travailler, qu'une fille passe près de moi et ose me regarder, qu'un compagnon de bonne ou de mauvaise fortune m'accoste et me voilà installé avec une bouteille, une oreille compatissante, et je me plains et je crisse et je gémis et je plaide et je quémande.

Hier soir, Achille m'a écouté, malgré ses « ta gueule et dors », me plaindre comme un vrai môme. Alors, lui aussi, comme tous mes amis d'une rencontre, d'une veille, il s'est laissé posséder. Il a marché, est tombé dans le panneau-émotion. Il m'a enlevé ma chemise, mes souliers et mes vieilles chaussettes pour les sorties rares. Il a même respecté mon fétiche, ma corde. Il me l'a laissée, nouée autour du cou : pour la chance ! Merci brave Achille. Gros bonhomme bourru que je ne peux imaginer sans sourire, la langue sortie, en train de me retirer péniblement ma chemise, en train de me border comme si j'étais son propre fils. Ah, va, je sais que je te suis plus précieux que tes deux fils ensemble, pas un ne vaut « cinq cents tomates », pas vrai Achille ? Eh, tu me plais tel que tu es. Tu ne donnes rien pour rien ! Tu es parfait, tu as raison. J'ai toujours eu horreur de la générosité. Toutes les petites, les chères petites marques de charité reçues m'ont toujours, finalement, coûté très cher !

Je me lève, mon brave Achille, sans bruit, je ne voudrais tellement pas te réveiller. J'entre dans tes grosses pantoufles de cuir rouge. Ainsi tu sauras tout de suite, si tu t'éveilles, que je ne suis pas parti très loin. D'ailleurs, je ne sais où tu as caché mes souliers : si tu les as cachés ! Le camion est là. Il y manque une roue ! Oh, Achille, tu t'es donné tout ce mal pour moi, pour que je reste ? Ce n'est pas bien Achille ! Plus confiance ? Tu as bien raison !

La route du village est déserte. Je pourrais m'en aller mais je n'ai plus de goût pour la fuite, les cachettes, la méfiance ! Plus capable, c'est terrible, n'est-ce pas ? Où voulez-vous que j'aille ? Un fuyard, un criminel recherché, qui n'a même plus la force, le courage, l'intelligence de fuir, de continuer la chasse !

Je me dis : il me semble qu'on ne me cherche plus.

Je ne vois pas pourquoi je songerais à des agents furieux et terribles qui font des battues habiles et calculées, rapportées sur des cartes, quand je vois cette route paisible cernée de grands arbres, quand j'entends les coqs chanter à gosier ouvert, quand je sens sur ma peau cette chaleur, ce soleil éclatant. Je rase les murs des bâtiments de la ferme. Les poules sont sorties et picorent. Quelqu'un s'est déjà levé, tout ce grain répandu n'est pas tombé du ciel !

Je grimpe vers les terres labourées d'Achille, comme si j'avais fait ce trajet mille fois. Je me sens bien. Je ne suis plus inquiet. D'abord, le terrain monte lentement. J'ai décroché un sac de grains, et pour voir cette poule me suivre, par jeu, j'en répands parcimonieusement derrière moi, sur un étroit sentier. Me voici tout au haut de la colline. La poule blanche me précède maintenant. Il y a une couple d'érables énormes aux branches multiples. Ce sera l'endroit rêvé pour... rêver !

Il y a quelqu'un ! Alice est là, adossée au plus gros des deux arbres. Elle a replié une de ses jambes sous elle, elle ne bouge pas. On la croirait morte comme les foudroyés des tempêtes électriques ! Je m'approche tout près d'elle ! Elle ne me voit pas ? Je ne sais comment il se fait que c'est maintenant que je découvre, sur son visage, la beauté de ses grands yeux. Ils brillent d'un ton de vert très tendre. Elle fixe un point vague à l'horizon. Je vais lentement m'installer contre l'arbre voisin du sien. Et, comme elle, je regarde au loin, au-dessus des terres, la cime d'une haie d'arbres qui forme la frontière des terres, le ciel d'une lumière crue, vive et nette, le dessin flou, fragile, des montagnes d'Oka, très loin...

Une dizaine d'heures de marche, peut-être moins, et je pourrais revoir Ubald, le vieil homme de mes vacances d'enfant délinquant. « Fais le tour large, fais le tour large », me conseillerait-il ! Aujourd'hui, ce matin, il doit regarder la rougeur qui monte aux pommes. « N'abîme pas les pommiers avec ta faux, mon petit « bonjour », fais le tour large autour, large ».

Alice ne dit toujours rien. Le vent est frais et donne envie de courir avec lui à travers les champs. Mais ces arbres sont solides, ce sont des compagnons sympathiques, et leur haut feuillage fait une chanson si belle qu'on a envie de demeurer ainsi, sans bouger, à écouter, toute sa vie. Cette musique agitée s'accorde avec le vent, elle épouse ses courses. C'est le silence un court instant, puis de nouveau le bruissement, et tout d'un coup un grand cri d'une détresse presque humaine. Et puis de nouveau le silence, et puis de nouveau le concert des feuilles qui s'embrassent, des branches qui s'entourent, se donnent la main, se prennent par le bras. Et, toujours, de temps en temps, comme un grand cri de détresse humaine, une plainte, une clameur qui fait lever nos deux têtes, cette fois, comme si nous allions voir toute la cime des arbres se détacher des troncs et s'envoler vers le milieu du haut du ciel.

Alice se lève. Ses cheveux la coiffent de façon curieuse. cela fait sauvage et religieux à la fois, comme la chevelure d'un jeune fauve ou le voile d'une pieuse nonne, je ne sais pas. Elle me regarde soudain. Elle va me parler, elle vient de décider quelque chose. Je la regarde aussi, mais elle ne dit rien. Nous regardons depuis je ne sais plus combien de temps sans rien dire. Avons-nous pensé les mêmes choses ?

Moi, je songeais : cette grande fille de trente ans est une proie malheureuse. Ces yeux sont ceux d'une biche captive qui se meurt de ne pouvoir se libérer. Ce n'est certes plus cette tendre femelle qui me fit l'amour, il y a de cela une nuit ! Ce n'est plus cette jeune femme perverse qui se proposait sans pudeur. du rouge aux joues, clignant des yeux, les seins posés nus sur son linge, il y a de cela deux matins. Cette

fille démunie, à la mine tragique, affaissée au pied
de cet arbre, n'est plus cette curieuse créature se
vantant de rompre les reins de son frère cadet avec
ses prouesses nocturnes et diurnes ! Me voici à côté de
celle que j'avais jugée en une minute. Voilà, je ne
sais plus qui elle est ! Voilà que je souhaite l'entendre
parler pour reconnaître au moins le son de sa voix.
Voilà que mon cœur bat plus vite, que je suis pris
d'un sentiment bizarre. Je me parle : « elle me joue
la comédie ! Toutes les mêmes ! Des actrices épatan-
tes ! Regardez-moi ces yeux de sainte, cette bouche de
candeur, d'enfance ! Regardez-moi, mais admirez même cette façon de se tenir les jambes, les genoux,
ne dirait-on pas une vierge sainte sortie tout droit
d'une pieuse image à dévotions. Ah ! je connais certains petits moyens de faire fondre cette douce vision
angélique. Attendez, laissez-moi seulement me rappro-
cher. Là, comme ceci. Vous allez voir un peu ce que
savent faire ces deux mains de canonisée pour campagne bigote !

Car je ne pouvais me laisser aller ainsi à trop
m'attendrir. Je devais, j'avais appris à me méfier de
mon vilain bon cœur : ce fou toujours prêt à sanc-
tifier les démons les plus noirs. Un reste d'humanité
que je m'évertue à chasser de moi-même. Si je m'é-
coutais, je serais là, à pleurer sur le goût de vivre
sur le bonheur d'être assis à l'ombre de deux arbres
qui nous braillent une sale mélopée. Allons, résistons à
la suprême et à la plus idiote de toute les tentations :
celle de se laisser attendrir sous un vent de miracle
quand on est tout près d'une fille qui prend un regard
d'agnelle blessée...

Attendez, je suis encore plus près d'elle et on
verra bien qu'Alice n'est qu'une sale petite garce qui
n'a, en tête, que l'idée de se faire étendre et d'ouvrir
les jambes au soleil et au reste !

Ah ! Tout le monde peut se tromper, elle n'a pas

cessé de me regarder, et pendant que je caressais ses
cuisses, elle n'a pas fait un seul mouvement, n'a pas
cessé de me fixer droit dans les yeux, et mon sourire
s'est changé en une question brûlante et idiote :

— Ce doit être la première fois de ta vie que t'as
pas envie d'un homme ?

— C'est le matin !

Elle s'est retournée lentement. Elle a eu un geste
d'une lenteur solennelle pour placer ses cheveux qui
lui cachaient les yeux. Et je n'ai pu empêcher mon
regard d'aller, avec le sien, sur cet horizon de beauté.
Le soleil montait rapidement, accusant, renforcissant
l'ombre des arbres, des clôtures, des vaches et des
chevaux qui broutaient paisiblement loin de nous. Et
soudain, je vis, je compris qu'Alice aussi était paisible, qu'elle s'accordait avec toute cette nature ! Que
nous étions différents. J'apprenais tout. J'apprenais
le soleil et les ombres, j'apprenais le calme des bêtes,
la paix des arbres. Et prenant la main d'Alice, je
regrettais d'avoir tué. Ce que j'attendais au fond de
moi éclata sur mon visage. J'aurais voulu n'avoir
jamais tué ! Enfin... je pleurais ! Alice ne me regarde
pas. Elle a toujours les yeux sur l'horizon :

— Je viens ici tous les matins. C'est comme pour
les gens de la ville, le matin, ils prennent un bain, une
douche. Voici mon bain à moi.

Je sanglotais. Il avait fallu cela. Cette simple vue
de la paix. Cette fille mal jugée qui me refusait sans
manières. Ce chant de feuilles au-dessus de ma tête.
Il avait fallu que je vienne m'asseoir à côté d'Alice,
aux pieds des érables, qu'une poule toute blanche joue
des jeux translucides...

— Tu l'aimais beaucoup ?

Alice, cette misère, cette traînée de ferme, com-
prenait tout de suite.

— Tu l'as beaucoup aimée. Elle peut être fière de
toi. Ce n'est pas à moi que cela arriverait : que je

sois aimée jusqu'à me faire tuer ! Que quelqu'un ait
pu être jaloux à cause de moi, qu'il irait jusqu'à la
mort ! Pas à moi !

J'ai laissé tomber ma tête sur ses jambes. Je suis
bien de tous ses doigts qu'elle a plongés dans mes
cheveux, avec douceur.

— Oui, je te le dis, je l'envie. Elle a eu de la
chance, à bien y penser !

— Tais-toi !

Elle ne dit plus rien, se penche, m'embrasse sur
le front, ses doigts vont et viennent dans mes cheveux.
Je suis de nouveau libre et jeune. Je peux me relever
quand je voudrai, j'ai retrouvé Suzanne ! Elle est
bien là. C'est elle. Pas de doute. Elle ne s'est pas
noyée. Elle m'a suivi partout, s'est bien cachée, m'est
revenue. Elle était dans une autre voiture quand je
descendis de Piedmont vers St-Jérôme, attendait ma
sortie du petit restaurant d'Aline, s'est cachée dans
le foin de la charrette à Xavier quand il m'a conduit
aux faucheurs-chômeurs, m'avait précédé dans l'église
de Ste-Monique. Elle y était, s'était cachée tout à
l'avant de la nef pour continuer de me suivre, elle
se serait jetée dans la boîte de la camionnette si j'avais
réussi à fuir, hier soir, avec Alice. Maintenant, elle
était là, c'est elle qui m'attendait au pied des érables,
c'est pour cela que je ne pouvais reconnaître Alice.
Ce n'était pas Alice mais elle, mon seul vrai ami,
Suzanne !

— Oh Suzanne ! J'ai eu tellement peur. Je croyais
t'avoir noyée ! Mais tu es là, tu es revenue, tu es
encore là. Nous pouvons nous en aller maintenant.

Je me lève les yeux pleins d'eau. Je lui offre ma
main.

— Je ne suis pas Suzanne.

Qu'est-ce qu'elle a dit. Elle ne peut pas être Suzanne ! Elle me regarde affolée ! Je continue :

— Mais viens. Cesse ces cachettes. Tu es là, c'est

bien. Partons ensemble, comme avant. Plus rien ne peut nous arriver. Nous serons heureux comme aux premiers temps de nos amours ! Tu verras, mais qu'attends-tu ? Prends ma main. Ne reste pas là, figée, à me regarder, niaise et incrédule. Oui, oui, c'est moi, tu m'as retrouvé. Nous nous sommes enfin retrouvés et nous allons partir loin, très loin. Je vais vendre tout ce que j'ai. Je te promets le plus beau voyage de noces qui ne se soit jamais fait !

Elle se lève enfin mais sans mon aide et se tourne vers l'arbre, le bras autour du visage pour sangloter à son tour.

— Oui, oui, tu as envie de pleurer toi aussi, tu n'y crois pas. Un nouveau bonheur. Je te le dis, une nouvelle vie ! Fais-moi encore une fois, une dernière fois, confiance. Je sais que j'ai tout raté, tout gaspillé avec toi. C'était cela, le passé. Je suis prêt à tout reprendre, à tout réparer. Tu verras, tu ne me reconnaîtras plus, tellement je serai un nouvel homme ! Regarde, je tombe à tes genoux ! A tes genoux ! C'est moi ça, je suis autrement, tu le vois bien. C'est moi enfin qui suis à tes genoux, pas toi, c'est bien mon tour va ! Regarde-moi au moins et cesse de pleurnicher !

Très bien. Elle veut se plaindre, elle va se plaindre pour quelque chose. Cette branche que le vent vient de m'envoyer va lui chauffer ses belles fesses qu'elle me montre. Tiens, attrape. Et elle se tourne en un seul saut, le visage horrible d'une douleur si atroce. Je frappe fort. Je n'ai jamais su mesurer ma force, mes coups. Pardon ! Encore pardon ! Ah, je désespère de changer. Je me remets à deux genoux. Je me couche par terre. Tu peux me battre. Bats-moi, je te l'ordonne Suzanne. Il faut que je sois battu. C'est cela qui m'a manqué. J'avais grandi sous les coups, tu vois, il ne fallait pas cesser. J'ai besoin de recevoir des coups. J'ai été fait comme ça. Oh Suzanne.

je voudrais rentrer dans la terre. Je me suis encore
conduit comme un salaud. J'ai honte. Oui, la terre
devrait s'ouvrir et m'avaler tout rond, en profiter pour
une fois que j'ai le nez sur elle. C'est toi qui te pen-
ches sur moi ? C'est bien toi Suzanne ? Tu pardonnes
encore. Je n'ose me relever tellement j'ai honte de
moi !

— Non, ce n'est pas Suzanne. Suzanne est morte.
Tu l'as tuée ! Je suis Alice et je ne veux pas te voir
souffrir ainsi. Demande-moi ce que tu veux. Je le
ferai. Je ferai n'importe quoi. J'irai tuer mon père
tout de suite si tu veux ! Tout ce que tu voudras, mais
je ne suis pas Suzanne. Je suis Alice et...

— Que me souffle-t-elle dans l'oreille, que dit-elle ?...
Qu'elle m'aime ? Que tu m'aimes ? Quoi ?

— Oui, je t'aime ! Je t'aime ! C'est idiot, je le sais.
Toi, tu ne peux pas y croire !

— Pourquoi, Alice, tu n'avais pas besoin de me
dire cela ? Pourquoi ? Pour me consoler... J'ai perdu
Suzanne moi ! Je ne t'aime pas moi, Alice ! J'aimerai
toujours celle que j'ai perdue !

— Je sais bien cela ! Je n'y peux rien. C'est comme
ça, je t'aime, parce que tu me ressembles ! Parce que
tu es comme moi, malheureux !

— Tu es malheureuse, toi, Alice ?

— Tu ne peux pas savoir à quel point je le suis !
Tu ne peux pas imaginer. Et moi, je ne peux plus
me souvenir depuis quand ! J'ai mal, là au fond de
moi-même, depuis un jour si lointain. J'avais quinze
ans, je crois. Il fuyait comme toi. Mais moi, j'étais
avec lui. J'avais cette chance ! Ils vont vite en pleine
ville. Ce n'est pas long. Ils sont dix, puis vingt policiers, puis cinquante et cent. Il y avait des voitures
de patrouille partout ! Les sirènes mugissaient dans
la nuit. Jean-René glissait, oui, il glissait de voiture
en voiture. Il y en avait des centaines sur ces terrains
de vente à rabais. Je le suivais, loin derrière lui, je

tremblais. Mon grand amour, mon premier amour était en danger.

Ce récit impromptu me sortait de mes rêves à moi. Je l'écoutais, tourné sur le dos, la bouche ouverte. Elle aussi avait donc son histoire : un autre aussi avait déjà fui. Cela me faisait du bien.

— Je vis Jean-René ouvrir une portière et s'asseoir sur le siège arrière. Je me rendis jusqu'à cette voiture. Il était à bout de souffle. J'essuyais les sueurs de son visage avec mon mouchoir de tête. Soudain, les lumières des projecteurs balayèrent le lot de voitures usagées où nous nous trouvions. Jean-René se jeta au fond de l'auto et m'entraîna sur lui. Il m'embrassa avec fougue... ce serait la dernière fois... Il sortit prudemment à quatre pattes. Je le vis se relever et courir de voiture en voiture. Il était splendide, plus vif qu'un chat. Mes doigts se crispèrent soudain autour de mon cou. On venait de tirer, au hasard, là-bas. Je criais : Jean-René ! J'attendis un peu. Je ne savais plus où il était rendu parmi toutes ces voitures de toutes les couleurs, marquées de tous les prix. Les chiffres dansaient devant mes yeux, les couleurs s'étiraient, brillaient, clignotant devant mon regard fou. Je le cherchais désespérément, j'ouvrais des portières au hasard, me traînant d'automobile en automobile. « Alice » ! Son cri retentit dans la nuit. Aussitôt, les réflecteurs se mirent à fouiller des terrains du côté de son appel. Je me mordais les lèvres au sang. Je le vis soudain, entrant et sortant de plusieurs voitures. Il laissait les portières ouvertes, se pratiquant des sortes de couloirs pour protéger une retraite éventuelle. J'entendis la voix d'un policier qui gueulait dans un porte-voix : « Rendez-vous, rendez-vous, rendez-vous ! » Je criais son nom... Et encore une autre rafale de balles ! Je tremblais, je ne pouvais me tenir sur mes jambes. Je voyais des policiers quitter la rue et les trottoirs pour s'infiltrer entre les voitures et le long des murs ou des clôtures.

Ils le cernaient. Jean-René vida son arme sur les plus proches. J'en vis un se tenir le bras et se sauver en gémissant vers une des voitures qui sillonnaient la rue. J'entendais, par le porte-voix des policiers, des noms de rues criées : Villeray ? et ça répondait : Fermé ! Faillon ? Fermé! DeCastelnau ? Fermé ! Jean-Talon ? Fermé. Puis plus rien... Les réflecteurs cessèrent de balayer les voitures. Il y avait un silence étrange. Alors, je comprenais : ce cri, celui entendu tantôt, c'était le sien. Eux savaient qu'il était touché, mort peut-être. Soudain, je ne craignais plus rien. J'allais au milieu des voitures et j'ouvrais les portières. La radio d'une des autos se mit à jouer une musique de « rock and roll » ! J'entendis au loin une voix crier : « Allez-vous-en, n'approchez pas ». Au même moment, je vis Jean-René, assis confortablement au volant d'une grosse voiture décapotable comme celle qu'il désirait tant posséder. Je voulus le prendre dans mes bras mais c'est lui qui tomba vers moi, j'eus un mouvement de recul et sa tête tomba sur le volant. Alors, son front fit sonner le klaxon de l'auto interminablement. Je fus prise de convulsion, je me bouchai les oreilles. Je me mis à danser comme une folle véritable que je devenais ! La musique semblait toujours m'accompagner et toujours le bruit assourdissant du klaxon qui emplissait l'air de la nuit. Des gens arrivaient en robe de chambre, quelqu'un discutait, je m'évanouis...

Prise par son récit, Alice ne sentait pas que je serrais son bras à lui casser, elle n'entendait pas cette sirène qui avait sonné. Enfin les bruits de motocyclettes entourant la maison d'Achille, la sortirent de sa rêverie. Elle se leva d'un bond. Je montai dans un des érables et je pus voir les policiers, nombreux, qui entouraient la maison. Je regardais Alice et nous ne disions plus rien, en proie à une sorte de panique !

CHAPITRE DOUZIÈME

Ce n'était pas le temps de réfléchir. Ils étaient là, tous. Quelqu'un avait parlé ? On avait découvert quelque chose ? J'avais vu quelques policiers entrer dans la maison. On allait perquisitionner. On trouverait le père Achille endormi sur sa carabine !

Je n'avais pas compté le nombre de voitures et de motocyclettes qui entouraient littéralement la maison. Je n'avais eu que le réflexe de fuir. Et puis, à cent pas, je m'arrêtai subitement. Alice ? Je n'avais pas pris soin de lui dire adieu. Je suis revenu sur mes pas. Je l'ai prise dans mes bras, elle ne me regardait pas, secouait la tête, pressée sur moi, c'est elle qui me décrocha de notre étreinte :

— Va-t-en ! Vite ! Bonne chance !

Je cherchais quelque chose à lui dire. J'avais été presque heureux, un peu heureux. Je ne voulais plus fuir, encore fuir. Pas seul du moins. J'aurais voulu lui demander de m'accompagner. Et je trouvais ce désir fou et irréalisable. Nous serions deux... Non, c'est faux, je pensais plutôt : je... oui, toujours « je »... je ne serais pas seul !

— Va-t-en ! Dépêche-toi.

Mais elle me retenait de ses deux mains ! Elle me retenait mais ses yeux regardaient toujours à l'horizon, comme si elle cherchait où j'allais fuir. Elle imaginait le trajet que j'allais effectuer. Ses yeux se mouillaient, étaient encore plus beaux :

— Où iras-tu ?

— Je ne sais pas. Par là !

Et je fis un geste vague de la tête et de l'épaule. Je ne voulais pas lui dire, cette petite folie. Ce besoin

d'aller là-bas, là-haut, sur la montagne. Cette confiance
idiote pour le bon père Ubald !

* * *

Car, oui, c'est chez le père Ubald, celui de mes
vacances surveillées, que je me rendais. Je n'avais plus
que lui au monde. Lui seul, Ubald, me comprendrait.
Il serait le même. Il ne posera aucune question. Je le
connais. Il me prêtera une faux. Il ne me fera pas écrire
à Montréal pour recevoir une rançon. Il ne dira rien...
rien d'autre que : « fais le tour large... touche pas aux
pommiers, fais le tour large ! »

J'ai peur. Je risque de tomber à chaque pas en lon-
geant les clôtures où il y a toujours toutes ces roches
que les cultivateurs trouvent dans leurs champs. Je ne
peux plus avancer correctement, à cause de cette idée
qui m'envahit peu à peu : il était déjà si vieux, peut-
être est-il mort depuis longtemps ? Je m'arrête et je
m'allonge à plat ventre sous un orme très haut. Je
regarde la terre. Une sauterelle s'est arrêtée... Peut-
être qu'il est mort le père Ubald ? Non ! pas ça ! Je
n'aurais vraiment plus personne... La sauterelle se frotte
les pattes sur la tête. Elle s'aiguise ? Je n'aime pas les
sauterelles ? C'est idiot. Pas celles-ci ! Ce n'est pas un
insecte sympathique ? Pas à moi ! Pas aujourd'hui !
Pas en ce moment... Les habitants de la « terre » vivent
vieux... Il y eut dix ou neuf plaies en Egypte ? Il me
semble que c'est neuf ! Voyons, on dit : les dix ou les
neuf plaies d'Egypte ? Les neuf ? Non ! Le déluge ?
Mais non, ça, c'est une autre histoire... Il ne peut pas
être mort ? Ah non ! Ce serait trop triste. Ubald vivra
très vieux, jusqu'à cent ans ! Au moins jusqu'à cent
ans ! Oh oui !... Cette sauterelle m'exaspère. Voici une
grenouille ! Bienvenue. Quelle sale gueule ! Une cocci-
nelle au bout d'une tige d'herbe ! Elle se balance au
gré du vent.

Alice ? Alice que fais-tu ? Elle a trouvé mes souliers ? Achille les avait bien cachés ! Elle doit courir
vers moi, à travers champs, mes souliers à la main.
Ses seins sautent dans sa chemise de soie ample.
Alice et ses grands yeux verts ! La sauterelle a de
grands yeux « mélasse » ! Tu es laide, sauterelle. La
grenouille fait encore un saut et mâche de la gomme.
Un financier ! Driftman ! Salut Driftman ! Pas fâ-
ché ? Je ne pouvais pas agir autrement. Tu ne peux
pas comprendre. Mâche ! Mâche ! c'est tout ce que tu
sais faire, ça et te payer les mannequins sans-travail
avec tes illusoires projets de cinéma et de télévision !
Tiens, les sauterelles ont des ailes ? Envolée ! J'avais
oublié. C'est vrai, il y a des sauterelles avec des ailes.
Les mâles ? peut-être. J'ai tout oublié. Elle avait flairé
la grenouille. Au fait ! un des fléaux de l'Egypte antique : les grenouilles. Mais oui, une pluie de grenouilles... mais oui... Ah ! c'est inutile, je n'arrive pas
à oublier ce qui me tracasse réellement : la mort
d'Ubald.

Mais voyons ! Serais-je parti de si loin ! D'où est-
ce que je viens. Je ne sais plus. De chez la grenouille.
« La grenouille et le bœuf... une grenouille voulant se
faire aussi grosse que le bœuf... s'enfla... s'enfla...
s'enfla si bien qu'elle creva... » Je me souviens de pas
mal de choses. Ces quelques cours d'art dramatique...
Oui, oui, j'aurais voulu devenir annonceur à la radio !
Pourquoi pas moi ? « Les chemises de l'archiduchesse
sont-elles sèches, archi-sèches ? » La vieille guenon
dévouée, paralysée, ancienne vedette de nos salles pa-
roissiales, mettait une application vraiment méritoire
à me délier la langue : « Dieu de Dieu que les petits
Canadiens parlent mal ! C'est désespérant ! »

Et je songeais, chaque fois : « Ma pauvre vieille
gargouille, si tu nous entendais à la taverne. Nous
avons de beaux exercices de diction. Tu en crèverais
de syncope. On joue à sacrer. C'est fou ce que nous

pouvons inventer. Il y a de ces blasphèmes, si longs
à énumérer, d'une invention si cocasse que nous nous
trouvons du génie de pouvoir si savamment combiner,
et dans des images peu communes, tous les accessoires
de l'autel d'une église. »

Idiots. Nous étions des idiots parfaits. C'est assez
difficile. Les idiots ordinaires sont légions. Il fallait
se distinguer, à notre manière. Notre « distinction »,
contrairement au procédé connu de la belle éducation,
se faisait vers le bas... Le père Ubald est mort peut-
être ? Peut-être a-t-il déménagé ? J'arriverai à sa maison de St-Joseph et un inconnu me regardera de bas
en haut en mâchant sa pipe... comme une grenouille...
« Elle s'enfla tant qu'elle creva... » « Selon que vous
serez puissant ou misérable, les jugements de cour vous
rendront blanc ou noir ? » Ah, non, ça c'est la morale
d'une autre fable ! De la peste, puisqu'il faut l'appeler
par son nom, « faisait aux animaux la guerre... » La
grenouille n'a même pas sourcillé ! Je continue : « ils
n'en mouraient pas tous, mais tous avaient été frap-
pés... » quelque chose comme ça ! Puis, je sais plus,
il y a au milieu, l'âne : « quelque diable aussi me
poussant, je tondis de ce pré la largeur de ma langue ».
A ces mots on cria : « harro sur le baudet... ce pelé, ce
galeux, d'où venait tout le mal... On le lui fit bien
voir ! »

* .* *

J'ai retrouvé mon souffle et mon calme et surtout
la certitude que le père Ubald n'est pas encore mort.

Pif ! Ce bâton sur la grenouille ! Une bouillie.
Qui a fait ça ? J'ai sauté, debout, sur mes deux pieds.
D'où sortent-ils ces deux petits assommeurs de grenouilles ? L'un est roux, le visage couvert de petits
grains. L'autre est noir et porte les bretelles de son
père sur ses épaules nues. Ils se penchent au-dessus

d'un sac où je vais regarder. C'est plein de grenouilles
écrasées. Il y en a de très grosses.

— Combien ça nous en fait là ?

Et le petit rouquin regarde au ciel. Ils ne m'ont
pas vu ma parole !

— Quatre-vingt-quatre, quatre-vingt-cinq, je sais
pas ! et pâmés, ils contemplent un long moment le sac
à demi-rempli.

— D'où venez-vous ?

— De St-Augustin.

Ils ne me regardent même pas pour me répondre !

— On est à combien de milles de St-Augustin ?

— Je sais pas !

Le petit rousselé me répond. Il fait sauter le sac
comme s'il voulait mélanger ses grenouilles.

— On met combien de temps à aller chez vous,
d'ici ?

Après un silence, le roux me répond évasivement,
il gratte le fond du sac avec son bâton-assommoir...
Après un long temps, il ajoute...

— Mais on a zigzagué pas mal !

— Qu'est-ce que vous faites avec toutes ces grenouilles ?

Là je les intéresse. La petite tête rouge daigne
abandonner ses victimes et me jeter un regard. Il a
un drôle de petit sourire, poli, timide et effronté à la
fois...

— On les vend !

— Ça se vend pas mal ?

Il va s'asseoir sur un gros caillou et il enlève sa
casquette pour se gratter férocement dans les cheveux :

— Bah ! ça dépend des jours. Des fois on est chan-
ceux, d'autres jours, nenni, pas une !

Le petit noiraud se tient debout à demi caché
derrière le roux qui est pourtant visiblement plus frêle
et plus jeune ! Le rouge me fixe soudain sérieusement :

— Qu'est-ce que vous en pensez ? cinq « cennes »

la paire de cuisses ? Armand, il dit qu'on aura jamais plus ! Il me semble qu'on pourrait demander le double. Y en a qui raffolent de ça !

— Où est la route la plus proche, le chemin le moins loin d'où nous sommes ?

Il me regarde, déçu de se rendre compte que sa question de prix de vente ne m'intéresse pas. Il finit par répondre.

— Là-bas, à une dizaine de milles, il y a le chemin qui mène de Belle-Rivière à Ste-Scholastique...

— Oui, c'est de là que je viens... Il n'y a pas un autre chemin autour d'ici ?

Il ne répond pas tout de suite, encore. Il me regarde. Je vois à son regard que j'ai commencé à l'intéresser, qu'il se pose des questions !

— Où c'est que vous voulez aller ?

— A St-Joseph du Lac !

— Ouaw ! c'est un bon bout !

— Pas tellement !

— B'en, vous vous en allez par là. Vous allez tomber sur le chemin de St-Augustin. Vous tournez au garage, au coin des routes. Il y a deux poteaux, sur l'un c'est marqué : St-Joseph !

— Par là ?

— Oui, à peu près par là ! Il y a une forêt à traverser.

— Un petit bois, je sais. Vous avez rien à manger ?

Cette question les déroute. Je ne sais pourquoi ! Le noiraud a eu un geste instinctif sur son gousset de pantalon.

— Quel âge as-tu ?

Il ne me répond toujours pas. Le rouge se lève et le pousse vers moi...

— Il a huit ans, Armand. Mais il vous dira jamais rien ! Il est à moitié muet. Des fois, il parle, d'autres, il ne parle pas ! Surtout l'hiver, c'est drôle, il parle presque plus !

Armand se met à rire nerveusement.

— Il est pas sourd. Ça, par exemple, non !

Le rouge lui tape dans le dos frénétiquement, et, tout à coup, Armand sort un paquet de biscuits de ses poches et me les offre en souriant ! Je commence tout de suite d'en avaler quelques-uns.

— Je vais donc m'en aller de ce côté. Merci les gars ! Je me lève, je les salue et je tourne le dos.

— Faites attention de ne pas rencontrer le « gangster » de Montréal !

Je m'arrête. Ils sont donc au courant à St-Augustin ? C'est bête. Je n'y pensais pas. Ils savent tout, partout, à des milles aux alentours, même à St-Joseph. Même Ubald doit savoir ! Je joue l'étonné :

— Qui ça ? un gangster de Montréal ?

— Oui, me dit le rouge en regardant le noir sans cesse, comme pour le voir confirmer ce qu'il me dit — un tueur, un assassin ! toute la police le cherche. Partout !

— Sait-on son nom, de quoi il a l'air ?

— Ça doit. Ils doivent savoir ça. Il a noyé des filles dans le nord, p'is des hommes de la voirie, des faucheurs. Il est dangereux. Il pourrait bien pas être loin dans le moment. Son dernier meurtre — et il prend deux yeux terribles pour dire ça — ça été le bedeau de Ste-Monique. Il paraît qu'il y a eu une vraie bataille, l'église est toute à l'envers, un vrai démon ! Je pense aussi — il ajoute ceci avec une maladresse enfantine ravissante — je pense qu'il a mis le feu à l'église et qu'il s'est sauvé avec le très saint sacrement !

— Vous avez pas peur de le rencontrer ?

— On a nos bâtons !

Le noir serre son bâton et me sourit avec fierté, il ajoute :

— Voulez-vous qu'on vous dise ? On le cherche. Les grenouilles, c'est pas notre fort. On aide à la

police, on nous a demandé de fouiller toute la forêt
et les champs, partout !

— Vous êtes braves ! Deux contre un et avec des
bâtons !

Le rouge me regarde. Il a honte. Il donne des petits coups de pied sur le sac. Il me regarde tout à
coup avec un regard d'une lumineuse franchise :

— En réalité, on pense pas le rencontrer. C'est
un gars qui doit avoir un char qui file à cent milles
à l'heure. Il doit bien être armé d'au moins deux
revolvers. P'is, à l'heure qu'il est, il doit être loin.
Il doit être rendu aux Etats-Unis. A New-York, probable, c'est là qu'ils sont tous, les gangsters. Ils pourront jamais le rattraper. Voulez-vous d'autres biscuits ?

Il a demandé ça tout à coup et a porté la main
à ses poches à lui... Il me tend d'autres petits biscuits
à thé, secs, qui me donnent une soif terrible.

— Merci les gars. Vous êtes gentils !

— Vous seriez pas une police déguisée, non ? Un
détective ?

— Non !

— Si vous rencontrez le bandit, qu'est-ce que vous
faites ?

— Vous allez vous battre avec lui ?

Je les regarde, ils sont accrochés à mes lèvres,
j'avale le dernier biscuit et je réponds par distraction :

— Non ! Je le laisserai filer. Ça ne me regarde pas.

Le soleil est encore au-dessus de ma tête, comme
avant-hier sur la route. J'entends la chanson des faucheurs : « Si je meurs, je veux qu'on m'enterre dans
une cave où y a du bon vin ». J'ai si soif !

— Y a pas une source, un puits quelconque près
d'ici ?

— Vous auriez peur de vous battre avec le bandit ?

— Non, mais je n'ai jamais aimé la police ! Je
n'aiderais pas les « bœufs ».

Je songe à Xavier et ses coups de bêches sur la

tête de son frère. Pauvre cocu ! Je songe à Aline et
son petit billet pour l'ami du pénitencier. Je tire sur
ma corde au cou ! J'ai soif. Et ces deux petits misérables en haillons sont là, debout, à me manger des
yeux ; leur sac de grenouilles mortes à cinq sous la
paire, deux futurs misérables, deux malheureux de plus !

— Ecoutez-moi les gars ! Un jour on en a assez
de crever comme un chien. Ça pourra vous arriver à
vous deux. Ça vous arrivera ! Et vous verrez, vous
ferez peut-être une bêtise ! Je vous le dis, si vous le
rencontrez, votre gangster, fichez-lui la paix, laissez-le
tranquille... donnez-lui vos biscuits et dites-lui où il
peut aller boire un peu d'eau...

Le petit rouge recule de quelques pas. Il a vu
dans mes yeux, il a senti sur moi le petit nuage gris
qui vient de me remplir. Je le connais bien. C'est
comme si j'avais bu un coup trop fort. Oui, il venait
me couvrir, parfois, comme ça, même à jeun. C'est
un petit nuage gris et très sale. Quand il passe sur moi,
mes yeux changent, ils se durcissent, mes poings se
referment, mes jambes tremblent un peu, d'un goût
de donner de grands coups de pieds sur n'importe
quoi, sur n'importe qui.

Ils ne parlent plus. Je leur fais peur. J'aime faire
peur. J'ai toujours aimé ça ! A ma mère, à mon père,
à mes amis, aux femmes, aux enfants. J'ai toujours
voulu effrayer tout le monde. Un goût bizarre d'effrayer, un moyen ultime de me faire respecter, de me
faire écouter. Je marche sur eux, tranquillement, je
ne sais pas encore ce que je vais leur faire. Mais je
sens qu'ils feraient bien mieux de déguerpir car j'ai
grande envie de leur rendre le service de les faire
disparaître de cette sale boue à misères et à cauchemars. Ils ont compris. Je les regarde prendre leurs
jambes à leur cou. Le noir, moins agile, tombe plusieurs
fois, le rouge gueule chaque fois : « Armand, Armand ».
Et puis, soudain, clic, je me réveille. Je les vois courir

et je me demande ce qu'ils ont. Le petit nuage gris a
fini de passer !

— Revenez ! vos grenouilles !

Je soulève la poche au bout de mon bras et la
leur montre en criant :

— Vos grenouilles. Venez chercher vos grenouilles,
idiots !

Faire peur aux enfants, c'est trop bête. Allons-
nous-en. Salut, grenouilles assommées !

« Il y avait une sauterelle, une « bête à bon Dieu »,
une grenouille, un bâton est tombé du ciel et la manne
de biscuits après les dix-neuf plaies d'Egypte. Et un
ange au cheveux roux, avec un grand bâton à la main,
m'a dit : « c'est par là » ! Il y a un garage et un poteau
à la croisée des chemins... Puis le petit ange accom-
pagné s'est envolé au-dessus des champs. C'est curieux
comme ils volent bas les anges ces temps-ci ! Au
ras du sol ! »

J'ai soif et je tire ma corde au cou ! Un autre
petit nuage gris et cette fois, je me tuerai ! « Allons
voir, oui, oui, oui, je chante, allons voir, non, non,
non, allons voir si Ubald est mort ! »

CHAPITRE TREIZIÈME

J'ai besoin de réfléchir avant d'aller plus loin. Je peux enfin voir les autos. La route de Lachute passe à cinq cents pieds devant moi. Comment savoir à quel point je suis recherché ? A quel point a-t-on répandu les détails de ma description ? Tout est là. A-t-on intensifié ou diminué les recherches ? Peut-être s'est-on lassé un peu et espère-t-on me trouver sans déployer tellement de zèle. Je souhaite, comme un idiot, sachant bien qu'ils sont tous là dans mon dos, je souhaite qu'ils se trompent de piste. Je veux absolument me rendre jusqu'à St-Joseph chez le père Ubald, après, je m'en fiche ; mais je tiens à me rendre chez lui. Je ne sais pas très bien pourquoi j'y tiens tant que cela ! Le soleil tape dur, mes cheveux sont brûlants. Je me fais un chapeau de ce vieux sac de papier trouvé. Je dois avoir une drôle de mine avec ma chemise à carreaux nouée aux reins, ce pantalon élégant que j'ai déchiqueté un peu plus à chaque enjambée de clôture. Cette idée de toujours foutre de la broche barbelée partout ! Ces pantoufles de cuir rouge d'Achille ne pourront plus me servir bien longtemps. Elles étaient déjà épuisées sous les pieds du bonhomme. Il doit en faire une tête, le pauvre Achille...

Ai-je assez mauvaise mine pour que cette vache fixe son doux et vaste regard sur moi depuis si long-temps. Elle n'a pas bougé. Je me surprends à lui sourire. Je deviens complètement fou ! Elle a de gros yeux tristes et sombres. Elle est là, debout, collée à la broche de cette clôture, semblable aux milliers de clôtures, il me semble, que j'en ai sauté des milliers. Mais qu'est-ce que c'est que cette manière d'envisager les gens ? Je ne peux pas me reposer un peu, non ?

Qu'est-ce que ça veut dire ce regard posé sur moi qui ne se lassera donc jamais ? Je m'imagine que c'est une sentinelle qui me guette, qui monte la garde, prête à alerter toute la campagne si je me sauve de ce coin d'ombre dont j'avais tant besoin !

Je me souviens que maman Bélanger, qui avait le culte du mystérieux, du spiritisme, croyait, entre tant d'autres balivernes, à la réincarnation des morts. Elle disait souvent : « Croyez-moi, jeune homme, nous marchons entre les morts, perpétuellement. Les arbres et les pierres, les oiseaux, les chats et les vaches nous regardent aller et venir et ils nous jugent. Ils nous observent ».

Cette vache m'observe. Elle me juge ! Madame Bélanger avait peut-être raison ! La bête a des yeux sévères et cléments à la fois... Enfin, je veux dire qu'elle ne me condamne pas. On sait qu'elle suspend son verdict. Elle est toute disposée à entendre ma version des faits, mon plaidoyer. C'est un juge. Un moment, tantôt, j'ai éprouvé un vif malaise : je songeais qu'elle pourrait être Suzanne ressuscitée ! Je n'aimais pas ça. Aussi, j'ai vite fait de reconnaître mon erreur. Suzanne n'avait pas les yeux si sombres. De plus, jamais elle n'aurait consenti à devenir vache. Non ! tout, mais pas ça ! Je la connais assez pour savoir ça. Non. Elle sera fleur ou petit arbre de jardin... Peut-être un des arbres de pelouse chez mademoiselle Micheline... chez Driftman... Non, elle n'aurait pas le culot de me faire ça. Je serai, moi, oiseau, et je la chercherai d'arbre en arbre, appelant son nom. Puis, si je ne la trouve pas, je serai papillon et j'irai sur toutes les fleurs de tous les parterres. Je la retracerai facilement à son parfum. Suzanne avait un parfum très spécial. Surtout nue. Je m'en souviendrai toujours, une odeur indescriptible, bien à elle. On me placerait sous le nez mille senteurs variées, je reconnaîtrais bien vite la sienne. Son parfum me rassurait

quand je la retrouvais à son petit appartement de la
vieille rue Oxenden. C'était comme si je me retrouvais moi-même, comme on se retrouve lorsque, pour
dormir, on pose son visage sur son propre bras replié.
On se respire. On se rassure. Tiens, la vache a eu un
mouvement de tête comme pour acquiescer. Elle baisse
un peu la tête. Elle dresse les oreilles... elle baisse les
yeux une fois, deux, elle ferme les paupières... C'est le
moment, oui ?

— Tu t'es déjà trouvée dans un vieux salon hup-
pé ? Non ? Devant une géante blonde, une femme solide, six pieds et six pouces il me semble ! Elle se tenait
devant moi, m'accablant de toute la maturité de ses
quarante années. Elle souriait toujours, d'un sourire
inhumain mais qui lui conférait une sorte de dignité,
une sorte de sensualité. Cette espèce de bonne humeur
hautaine me fouettait et je ne savais, devant elle, de
quel côté, avec quels moyens, je pourrais conserver
mon bonheur d'homme. Elle me disait, d'une voix
grave et placée :

— Mais enfin, que venez-vous faire parmi nous ?
Dites-moi un peu à quoi vous pourrez nous servir ?
« Amérique Nouvelle » n'est pas une revue qui s'adres-
se aux milieux ouvriers !

— A qui est-ce que ça ferait du tort, aux ouvriers
ou à la revue ?

Tu sais, vache, je lui ai dit, comme ça, bêtement :
ça s'entendait dans ma voix. Elle s'est retournée d'un
coup. Tout le salon s'est tu. On entendait le tonnerre.
Mais on n'entendit qu'un rire, celui de la géante. Je
ne bronchais pas. J'étais si habitué à ces moqueries,
à ces égards hautains et méprisants. Ce rire de pim-
bêche distinguée avait fait entendre son odieux son
si souvent à mes oreilles. La géante femme de lettres
avait rassemblé, autour d'elle, ses ouailles bien dressées.
Elle parlait posément, d'un faux calme, assez fort pour
que j'entende :

— Soyons sérieux. Nos abonnés sont tous parmi les gens les mieux cotés, nous n'avons pas un seul lecteur qui ne soit, de quelque manière, un penseur, un artiste ou un intellectuel de plus ou moins grande réputation. Pourquoi souhaiter répandre notre revue en dehors de ces cadres sérieux ? Après tout, notre action, nos idées, bref, l'âme de notre revue a un objectif qui ne peut s'adresser qu'à des êtres d'élite. D'ailleurs, le monde des arts et des lettres peut-il sérieusement compter sur un autre secteur de notre population ?

Elle remit le coup du petit rire sarcastique avant de terminer :

— Ecoutez, je me demande seulement si les syndiqués de notre petit ami savent lire assez pour déchiffrer la page de notre couverture. N'oublions pas que notre devise est en latin !

Je finis le fond de mon verre et le lançai sur le manteau de la superbe cheminée du salon. Il vola en éclats, tous se turent. Alors, je retins le domestique qui ramassait les verres vidés et criai :

— Dites-moi, mon ami, lisez-vous « Amérique Nouvelle » ?

— Non monsieur, je ne m'y comprendrais pas ! euh !...

— Eh bien, vous avez tort ! Car voyez-vous, dans « Amérique Nouvelle », vous trouveriez toutes les causes de vos malheurs, ce qui est bien le commencement de leurs solutions. Oui, entre autres choses, vous pourriez découvrir le nom de toutes les belles personnes de notre monde distingué qui s'ingénient à continuer de croire qu'elles sont « nos », « vos » supérieurs... que l'argent, les richesses, le bien-être vont toujours de pair avec l'intelligence... que Dieu dans sa divine justice, a tout donné aux uns, et tout enlevé aux autres, vous et moi !

Le valet se tient au garde-à-vous, un œil sur

moi, l'autre sur la directrice de l'Amérique Nouvelle.
Quelques invités ont pris congé dès la rupture du
verre sur la cheminée. La blonde géante s'agite un
peu plus. Elle s'accroche au bras de Louis-Philippe
Brazeau qui se dirigeait vers la sortie à pas discrets.

— Enfin, Louis-Philippe, ai-je tort de croire que
notre revue ne peut intéresser efficacement que les gens
qui fréquentent les hautes altitudes de l'esprit ? Quoi,
prenez notre dernier numéro, celui d'avril, consacré
totalement au phénomène mythologique dans la poésie,
la peinture et le cinéma d'avant-garde ; en quoi eût-il
pu intéresser les couches sociales populaires ? Je vous
le demande, Louis-Philippe !

— Evidemment !

Louis-Philippe lorgnait la porte et trépignait d'impatience.

— L'article que vous m'avez remis sur « le paral-
lélisme de Jean Cocteau-Marcel Camus, au cinéma du
mythologue », croyez-vous qu'il aurait passionné cette
zone de lecteurs dont « notre petit ami » veut nous
gratifier ? Non !

— Je ne crois pas, non !

Cette fois, il sortit tout droit. La blonde directrice
fit demi-tour et se trouva... seule ! En effet, la dizaine
de fidèles collaborateurs s'était volatilisée comme par
magie. Elle en resta éberluée. Elle finit par me regarder.
Lui tournant le dos, je regardai le parc par les larges
fenêtres de la baie vitrée. Je l'entendis se verser à
boire puis s'approcher de moi doucement.

— Voulez-vous un cognac ?

— Je vous en prie, pas de liqueurs fines pour moi.
Je m'en tiendrai au vulgaire whisky.

Elle sourit et me prépara un verre : le domestique
était caché, appréhendant d'être encore pris à témoin.

— Enfin, (elle commençait presque toujours ses
phrases par ce mot, ce qui donnait à penser qu'elle
venait tout juste et toujours d'élaborer un long raison-

nement) enfin, que croyez-vous, à la possibilité d'un miracle ?

— Je suis demeuré pour me permettre de m'excuser d'être venu ici, madame. C'est mon ami qui...

— Oui, oui, je sais cela. Sachez que c'est moi qui ai demandé à ce cher Archambault de vous inviter chez moi. Il m'avait raconté comment, à Paris, vous vous étiez rapidement passionné pour les arts et les lettres. J'ai été séduite par son récit « du simple soldat en permission, qui découvre avec joie et délices les richesses de l'humanisme européen ». Mais enfin, comprenez-moi bien ; que vous, vous vous soyez converti à la culture ne veut pas dire que tous les régiments de soldats, ou que tous les ouvriers des usines vont se procurer les œuvres posthumes de Chardin ! Vous me saisissez ?

— Madame, je ne discuterai plus là-dessus. D'ailleurs, je m'en vais, et si vous voulez bien oublier cette malheureuse rencontre...

— Mais non. Je ne veux pas que vous vous mépreniez sur ce que je pense au sujet du peuple. Je vous garde. Nous allons monter à l'étage. Il fait si chaud ici. Il y a, là-haut, un petit jardin d'hiver qui est exquis de fraîcheur.

Oh ! vache, si tu t'étais trouvée là. C'était rempli de plantes vertes, d'une variété qui t'aurait ébaudie, oh ! oui, ma beauté, et c'était frais, un endroit qui te laisserait rêveuse, énamourée, qui te ferait donner du beau lait tout bleu. Mais ce qui t'aurait peut-être un peu écœuré, c'est la conduite de la géante.

— Savez-vous, mon cher petit, que vous faites, avec moi, plus de manières que n'importe lequel de mes amis ? Et vous prétendez n'être qu'un poltron ! Vous avez des manières merveilleuses. Approchez ce tabouret de mon fauteuil !

Je m'approchai. Je regardais avec circonspection et étonnement le visage de la géante qui se métamorphosait à vue d'œil ; ses yeux s'alanguissaient, elle faisait une moue exagérée avec ses lèvres et je remarquais que ses narines battaient nerveusement. Avec des gestes d'une discrétion exercée, elle avait défait ses cheveux, ouvert son décolleté pourtant déjà audacieux et finalement, elle croisa ses longues jambes presque sous son nez. J'eus un geste pour me relever tant cette transformation rapide et bizarre m'intriguait, m'interloquait.

— Je ne sais si c'est la faute de toutes ces plantes, mais je ne me sens pas très bien. Vous m'excuserez de prendre congé !

Elle s'était levée d'un bond. Ce qui ajouta à ma surprise et acheva de me déconcerter, fut de la voir me passer ses bras autour du cou et me sourire en essayant d'imiter, de façon ridicule, les « vamps » du cinéma américain.

— Sale petit menteur. Veux-tu que je te dise où loge le petit malaise ?

Oh ! vache ! Tu t'imagines la gueule que je fis lorsque je sentis le genou de madame veuve Lucienne Caillé-Marcoux, directrice de la revue la moins connue, la moins répandue, la moins vendue de la métropole, l'oracle des vieux bonzes, l'espoir des jeunes et vieux célibataires intellectuels raffinés, la protectrice des stylistes et des puristes, tenancière du seul et unique et résistant « salon littéraire » irrésistible, quand, dis-je, oh ! vache ! je sentis son genou s'enfoncer tout doucement dans mon entrejambe. Je faisais une gueule de noyé, celle d'un vrai tendron innocent puisqu'elle éclata de son rire ultra-sonore.

— Vous êtes un gentil gamin. Que voulez-vous de moi au juste ?

— Mais, rien du tout. Je crois au contraire...

— Ne faites pas l'insolent, vous perdez votre temps. Je ne crains rien. Je peux vous embrasser, vous mordre si j'en ai le goût, et vous iriez le raconter à n'importe qui, on ne vous croirait pas et on vous rirait au nez. Des dizaines d'hommes recherchent ma compagnie et... mes faveurs, en vain, et parmi eux, les plus brillants esprits qu'on puisse trouver. Moi, je peux raconter sur vous ce que je veux ; que vous m'avez assaillie, que vous vous êtes conduit comme un goujat, que... oui, que vous m'avez violée. Et tout le monde prêtera foi à ma version. On me dira : « Qu'aviez-vous à accepter chez vous pareil jeune homme sans éducation, il n'est pas de notre monde ! »

Je me défaisais de son étreinte mais elle fit si bien que je me retrouvai sur son canapé, étendu sur elle.

— Cessez de vous débattre, enfant, et tâchez de m'écouter. Je sais ce que vous voulez. Soyez tranquille, dès ce soir, vous faites partie de mon équipe de collaborateurs réguliers.

Je fis un mouvement pour me relever. Ses bras, d'une solidité remarquable, me replongèrent sur sa poitrine. Elle haletait :

— Vous aurez autant de pages que vous voudrez à chaque livraison, ça vous va ?

— Feriez-vous paraître mon article sur « les femmes du monde et nos lettres précieuses » ?

— Non !

J'avais dit cela pour l'éprouver : l'article, paru dans ma feuille syndicale, lui avait fait un coup mortel, Gilles me l'avait raconté. Je fis une seconde tentative de libération.

— Oui, là, tout ce que vous voudrez !

Je la regardais avec amusement mais j'essayais d'avoir un air de pitié, sachant qu'elle ne pourrait le supporter.

Je n'y parvenais pas !

— Et si j'appelais à l'aide ?

— Rémy connaît mes habitudes. Il ne bougerait pas un doigt. Enfin, vous savez bien que je suis puissante, que je peux vous être d'un grand secours. J'ai des relations partout, enfin, dans tous les milieux susceptibles d'aider un jeune journaliste. Que voulez-vous que je fasse pour vous ? Demandez-moi ce que vous voulez ! Ecoutez, je vous désignerai, et croyez-moi ça marchera, comme rédacteur en chef au « Jour et Nuit ». Oui, oui, on m'a demandé mon avis. Je ferai tout pour que vous obteniez le poste. Je suis sérieuse !

Oh! vache, tu ne me regardes plus, tu crois que j'exagère, n'est-ce pas ? Tu ne peux pas savoir jusqu'où peut aller une femme mondaine et lettrée, si finement cultivée, dont la concupiscence réside dans le goût de faire l'amour avec un grossier poltron comme moi ! Cette ardeur, cette insistance m'aurait séduit si cette géante eût été tout autre que Madame Lucienne Caillé-Marcoux au rire tragi-comique. Je savais bien, moi, qu'une fois sa curiosité assouvie, je ne deviendrais plus qu'un sale petit voyou de basse extraction ! Je savais bien qu'elle allait me promettre la lune pour tout de suite, et demain, le vent. Je décidai donc de l'humilier et de me venger : elle allait payer pour toutes les portes refermées sur moi, sur mes quêtes. Elle eut la malheureuse idée de me demander d'une voix rauque de dépit et d'impatience :

— Mais enfin, ne suis-je pas désirable ? Comment me trouvez-vous ?

— Oh ! ce n'est pas que vous n'êtes pas bien tournée et appétissante...

Elle émit un son animal, anticipant que j'allais lui dire des grossièretés épicées dont elle manquait tant avec ses fins littérateurs à grosses lunettes.

— Oui, vous avez de bonnes cuisses et des mollets de jeune danseuse. — Je poussais le jeu au point de caresser les endroits de ma description commencée, la folle fermait les yeux. — Et ce ventre-là me ferait un fameux petit coussin pour les retombées !

Elle glapissait maintenant et secouait la tête stupi-

dement en entrouvrant la bouche. Je m'amusais folle-
ment.

— Vous avez des seins fermes et encanaillants
comme tout !

Je promenais ma tête dessus en tout sens. Elle
s'accrocha les doigts dans mes cheveux et me fit un
regard d'une langueur d'étudiante en vacances.

— Mais voyez-vous, ma grande, il y a cette tête...

Elle lâcha ma chevelure et sa bouche prit une
expression de stupéfaction.

— Oui, ce n'est pas que vous ayez un vilain minois
ma grande, mais c'est en dedans... c'est que je sais,
hélas, que c'est vide !

Elle me laissa me relever sans un geste. Je jouis-
sais d'un effet bien réussi.

— Oui, oui, pour s'amuser, tout ça, ça pourrait
aller, mais avec un autre que moi, car moi, je ne peux
pas faire l'amour avec une sotte, une prétentieuse
gonflée. Que je suis mal fait ! Je n'ai jamais pu faire
l'amour qu'avec une femme intelligente, c'est comme
ça, je n'y peux rien. Elle se releva. Je vis ses genoux
et ses mains trembler. Elle regarda autour d'elle, cher-
chant quelque chose, quelqu'un. Ses yeux me terri-
fiaient. Là, vraiment, elle commençait à être un peu
belle, mais je vis que ce n'était pas le moment de songer au canapé et je me précipitai dans l'escalier en
écoutant le vacarme des pots de plantes qui se fra-
cassaient derrière moi. Rémy m'ouvrit la porte en souriant. Je m'en étais fait un ami puisqu'il me dit :

— Mes respects monsieur !

* * *

Quoi, vache, mon histoire ne t'intéresse pas. Tu
me tournes le dos, tu me montres ton gros fessier.
Ah ! toi aussi tu me fais le coup de la porte au nez.
Eh ! bien je vais t'apprendre la politesse et les bonnes

manières comme on a fait avec moi, à coups de pied
au cul... Oh ! attends, mieux que cela, ces cailloux
serviront mieux encore la noble cause. Tiens, attrape...
et celui-là... oh ! tu te sauves, attrape... Tu as bien
raison, fais sonner ta cloche comme la grande Lucienne
faisait sonner son rire... Cours plus vite sinon cette
pierre va te tomber sur le dos ! Hop, touchée !

Oh ! ma pauvre bête. Je n'ai pas choisi... elle
était un peu grosse celle-là ! Je suis écœuré de ma
violence, mais j'étais né pour ça et ça me grise tellement depuis que j'y suis revenu. Il y avait si longtemps qu'elle m'avait quitté. Je ne réussis pas à la
calmer, cette soif, à la nourrir, à l'apaiser. Elle me
possède, elle me domine. Et puis, lointaine et blessée,
je vais te faire une grave confidence... je sais... oui,
je sais que bientôt, au bout de mon triste chemin,
elle se tournera contre moi et que je serai terrassé
par elle, car la violence n'est contentée que si elle
happe celui-là même qui s'en sert. Voilà, je sais aussi
cela et c'est à peu près tout ce que je sais vraiment.

Alors je marche, je ne peux plus m'arrêter ! C'est
elle qui m'arrêtera si quelque chose doit m'arrêter.

CHAPITRE QUATORZIÈME

J'ai dormi longtemps... C'est déjà le soir. Je dormirais encore : échapper à la vie, échapper à la vie ! Pouvoir réellement me fuir, oublier qui je suis. Si je pouvais me transformer, me déguiser. Qui pourrais-je devenir ?

Etre à Tokyo, dans une rue grouillante de monde, entendre tous ces gens se parler en japonais, voilà ce qu'il me faudrait... complètement inconnu. On me laisse déambuler en paix. Je n'ai plus à me cacher. Je ne songe plus à échapper... à personne.

A Tokyo ou ailleurs ; loin d'ici. Je pourrais être en train de louer des chaloupes à Cannes, de vendre de la « pizza » à Milan... Devenir n'importe qui, quelqu'un d'autre. Moi, je me suis assez vu ! Fuir, je suis exténué de fuir. Je suis un spécialiste des fugues depuis celles de mon enfance. « Jumper » dans les convois de marchandises. Me retrouver à Kitchener, venu avec du charbon des Maritimes. Essayer de travailler comme apprenti-fondeur, à douze ans, mais on ne me garde que deux semaines. Je tousse et je crache le sang. « Trop jeune l'ami. Va te faire engraisser sur une ferme. » Sur cette ferme, il n'y a pas de père Ubald très doux et très calme. Il n'y a qu'un gérant à la main leste, généreux en coups de pied dans les reins. Je tousse de plus belle, et je ne pars pas sans lui administrer une raclée à l'aide d'un attelage de cuir qui le fit saigner assez abondamment pour lui mériter un séjour d'hospitalisation. Pas mal pour douze ans ! On vient me chercher et c'est de nouveau la bonne vieille maison de correction.

*   *   *

Un plan ingénieux vient à mon secours. Nous sommes vingt-deux de la même trempe, « de la graine à potence », nous répètent les gardiens. On le prouve. Vingt-deux, en pleine nuit, armés de barres de fer. Il y a d'abord les machines des ateliers de soudure, de menuiserie, de mécanique, à détruire... ils ne pourront plus initier les nouveaux venus au travail « sain et profitable » ! Pas avant longtemps ! Il y a des coups de sifflet. On a l'oreille fine quand on est surveillant de nuit ; il se mêle de gueuler, de sonner l'alerte. Une pluie de coups de barres, il s'écroule, la main sur son sifflet qu'il a failli avaler dans un dernier effort pour le faire siffler encore.

Le directeur de cette charmante maison de rééducation veille très tard. Il était là, assis derrière son bureau couvert de paperasses. Nous enfonçons la porte. Il retire ses verres et s'appuie sur le dossier de son gros fauteuil de cuir. Il nous regarde, étonné, il croit rêver.

— Les clefs et vite, nous sommes pressés !

Je ne le regarde même pas. Je bave un peu de la hâte fébrile de nous retrouver tous dehors dans la nuit, enfin libres.

— Où allez-vous, messieurs ?

Il s'est levé en posant ses deux mains à plat sur son bureau. Nick, le plus vieux de la bande, le rassoit d'un seul mouvement du bras. Il sourit, monsieur le Directeur, il reste calme, magnifique.

— Vous cherchez les clefs ?

— Nous pouvons les trouver sans votre aide !

Une douzaine de barres se sont levées. Le Directeur ne cesse de me regarder. Oui, moi aussi j'en suis. Cela doit l'étonner. A ses yeux, je suis le plus sérieux ; ne suis-je pas le rédacteur de la petite revue de la « maison » ? Ne suis-je pas celui qui discute le mieux avec les maîtres, qui demandait, hier encore, avec gentillesse et calme, certaines transformations au régime pourtant déjà bien assez bon pour des voyous comme nous tous. Eh oui, moi aussi, monsieur le Directeur, je suis assez fou pour vouloir quitter cette bonne maison. Moi aussi, j'ai le goût d'être libre, de manger, de me coucher, de me lever sans l'aide des sonneries électriques. J'ai envie, moi aussi, de prendre l'air sans surveillant au fond des cours.

Il est vraiment magnifique. Il sourit toujours et il se lève, va vers la sortie, nous tient la porte :

— Messieurs, je vais vous ouvrir moi-même, après vous ! C'était encore une leçon. Une leçon de politesse, vous savez, le genre « prêchons l'exemple ». Nick le pousse brutalement dans le couloir mais il reste impassible, et c'est en replaçant ses verres puis ses cheveux qu'il se dirige vers la sortie. Il tient la porte d'une main ferme pendant qu'il nous regarde sortir. Il ne sourit plus. Son visage est empreint d'une gravité, d'une tristesse indéfinissables. Je sors le dernier :

— Vous avez été parfait monsieur le Directeur. Bravo ! Je suis très fier de vous.

Il me regarde distraitement. Soudain, il m'aperçoit :

— Que voulez-vous ! Je vais essayer de savoir pourquoi vous ne voulez pas rester ici. Je vais nous examiner, moi et mes collaborateurs. Nous allons chercher par quels moyens nous pouvons rendre votre séjour, parmi nous, plus intéressant, plus...

Il s'est arrêté de parler. Je suis sorti précipitamment. Il osait me faire comprendre que, tôt ou tard, on nous reprendrait et nous ramènerait ici. Déjà, il préparait notre retour, voulait me prévenir qu'il aurait apporté des changements. Il m'encourageait comme si, déjà, je revenais d'une évasion ratée d'avance. C'était le comble de l'impertinence. Je rageais.

— Que t'a-t-il dit ?

Nick me tenait le bras. Il n'avait jamais approuvé ma bonne réputation auprès des autorités.

— Rien. Que nous allions nous faire repêcher bientôt !

— Jamais. Regarde ce que j'ai...

Nick me montrait une petite fiole, l'étiquette marquait : « cyanure de potassium ».

— L'atelier de chimie m'aura servi à quelque chose !

* * *

Nous nous étions séparés par groupes de deux, de trois, au plus. Chacun avait reçu des instructions de Nick. En nous disséminant aux quatre coins de la ville, la police aurait moins de chances.

Je m'étais retrouvé avec le plus jeune de la bande, Jean-Guy Cordier. Il ne parlait presque jamais. Je me sentais un peu responsable de lui, vu son jeune âge. Mais c'est lui qui m'expliqua dans l'autobus qui nous conduisait de Montréal-Nord vers l'ouest :

— C'est moi qui ai demandé le nord-ouest. Oui, nous allons avoir une « fichue de bonne cachette ». Tu ne peux pas deviner !

— Comment ça ?

— Nous rentrons chez moi !

— Sans blague.

— Oui ! Ne crains rien. Il n'y a que la grand-mère et elle sera folle de joie de me revoir, tu verras. Regarde ce qu'elle m'écrivait dimanche dernier quand elle est venue me voir...

Jean-Guy me montra le dessous d'une boîte de chocolat. Le bout de carton était sali de doigts. Il l'avait montré souvent. Je lus : « Mon gars, tu devrais trouver un moyen de te sauver de ce trou. Je te cacherais bien. G.M. »

— Elle est formidable ta vieille !

Je n'avais pas besoin de lui dire cela. Il le croyait.

Ses yeux brillaient et il regardait défiler les maisons du boulevard Gouin avec intérêt.

Enfin, un autre autobus nous fit descendre sur le chic Boulevard Graham dans Ville Mont-Royal. A cette heure de la nuit, il y avait peu de maisons éclairées. Nous marchions côte à côte, sans rien nous dire. Soudain, Jean-Guy prit mon bras :

— C'est là. La grosse, en pierres grises !

— Tes parents n'y sont pas ?

— Je t'ai dit que non !

Il me regarda soudain et je lui vis des yeux nouveaux, un regard pitoyable de petite bête écrasée.

— Ils passent toujours l'hiver dans le sud des Etats !

— Ta grand'mère doit dormir !

— Oui.

Et là, je le vis sourire. Son visage reprit une mine sereine.

— Viens, nous allons lui faire une bonne surprise !

* * *

C'est chez Cordier que j'allais trouver tout ce dont je rêvais. Chez lui, il y avait tous ces meubles bien bourrés où l'on veut demeurer étendu. Chez Jean-Guy, il y a de tout, toujours quelque chose à manger, on n'a qu'à ouvrir la porte du réfrigérateur ou celle du congélateur. Ce n'est que chez mon compagnon que je peux aller d'un étage à l'autre et il y a tant de pièces dans sa maison qu'il me semble habiter un château. Tous les planchers sont doux de tous ces tapis épais, et enfin, il y a assez de jouets pour amuser une école entière de garçons. Il y a assez de trains miniatures pour s'amuser des années durant...

— Mais alors, Jean-Guy, pourquoi ? Pourquoi étais-tu parmi nous, et surtout, pourquoi t'accuse-t-on de t'être sauvé de chez toi, d'un tel paradis ?

— Je voulais descendre en Floride !

Et je lui revois ses yeux de malheur, ce regard tragique.

— Oui, pour les embêter ! Ils ne voulaient pas m'y voir !

— Cesse de penser à eux.

— Non. J'ai vu que l'auto a été laissée dans le garage. Demain, si tu veux, nous partons ensemble !

— Avec l'auto de ton père ?

— Oui.

— Où irons-nous ?

— Eh bien... si tu n'as pas d'objection... nous irons au sud, du côté de la Floride !

* * *

Nous nous parlions, en fumant les cigares laissés dans une boîte finement ciselée, dans le bureau de son père. Il y avait là des livres jusqu'au plafond. Nous nous étions enfoncés dans les gros fauteuils de cuir à hauts dossiers.

La grand-mère de Jean-Guy, qui pleura comme une fontaine en nous voyant, nous préparait un frugal réveillon. Elle avait dit à Jean-Guy :

— Ils devront me passer sur le corps pour te reprendre !

Puis nous sommes montés dans la luxueuse chambre des parents de Cordier pour y passer la nuit.

* * *

Maintenant, nous roulions sur la route vers Albany.

— Papa va en faire une tête.

Cordier conduisait mal l'Impériale de son père. Nous avions pris l'auto laissée au garage. Jean-Guy possédait copie de la clef. Le bruit des portes métalliques du garage avait réveillé sa grand-mère. Elle apparut sur le patio, devant la maison, en robe de nuit, les bras levés, trépignant :

— Jean-Guy, Jean-Guy, mon petit ! Ne fais pas

cela. Reste avec moi. Ils te reprendront. Jean-Guy !

Le visage de Jean-Guy s'était empreint de tristesse mais il appuya sur l'accélérateur... Il conduisait mal. L'aube de ce jour de printemps était radieuse. La ville n'était pas encore secouée du vacarme de ses habitants.

Cordier s'était coiffé d'un des chapeaux de prix de son père et m'en avait donné un autre. Nous nous regardions en riant. Il avait ajouté, pour se vieillir, une paire de lunettes dont il avait cassé les verres. Je me regardais dans le rétroviseur du tableau et je me trouvais d'allure assez plausible. Je m'efforçais de prendre des mines sérieuses. Quant à Jean-Guy, je n'arrivais pas à l'examiner sans éclater de rire. Avec sa grosse face ronde, sa peau rose d'enfant riche et sa petite bouche aux lèvres grasses, il n'arrivait pas à m'impressionner.

— Tu sais conduire ?

Je répondais dans l'affirmative, bien que le dernier camion dont je m'étais emparé, il y avait de cela presque un an, fut abandonné dans un état inutilisable à cause de mon manque d'expérience.

— Tu conduiras, cette nuit, pendant que je dormirai. Je veux être à Miami demain, tôt ou tard ! Ils vont en faire une tête.

Nous avions vidé le sac à main de la grand-mère. Nous décidions de déjeuner à St-Jean. Tout le repas fut joyeux et la serveuse, devant tant de bonhomie et voyant les pourboires généreux s'entasser dans le gousset de son tablier, finit par avoir des conciliabules avec le gros bonhomme qui lisait son journal assis derrière sa caisse. Nous en profitons pour déguerpir.

— Tu fais plus vieux que moi. Pour passer les lignes, tu te mettras à ma place.

Jean-Guy admettait ce détail avec regret, je le voyais sur son visage.

— Nous passerons sans histoire ?
— Tu n'as jamais voyagé aux Etats-Unis ?
— Non, jamais.
— Tu vas voir. C'est vite fait. Il suffit de dire que nous revenons ce soir ou demain dans la journée, et hop, tu es de l'autre côté !

* * *

Et c'est là, justement, que tout se gâcha. Le douanier nous fit signe de le suivre et deux agents de la police provinciale surgirent et nous mirent la main au collet.
— C'est ta grand-mère ! La vache !
— Mais non, mais non. C'est pas possible !
Cordier bravait les policiers. Il cria au moment où, à l'intérieur du poste, ils voulurent le fouiller :
— Ne me touchez pas ! Faites attention, mon père a le bras long ! Vous pouvez tous perdre vos places si vous me laissez pas aller !

* * *

Une heure plus tard, les policiers nous font descendre et nous regardent marcher le reste du chemin vers les portes de la chère institution. Il y a monsieur le Directeur, avec son sourire d'hier soir, qui ouvre la porte toute grande. Il me donne un petit coup de poing sur l'épaule. Je crève de rage. Il souffle tout bas :
— Pas eu le temps de changer grand chose encore. Vous êtes revenus trop vite, mais je vais faire de mon mieux.
— Salaud !
Cordier pleure. Sa grosse face est toute convulsée. Il n'a pu rejoindre ses parents qui se font cuire leur peau de riches au soleil de la Floride, au vent du

Gulf Stream ! Pauvre Cordier !

Je le revois dans l'atelier de menuiserie, le lendemain matin, la langue sortie, il léchait les carreaux
de la porte-fenêtre par où nous arrivait le « stock »
de bois de construction. Le directeur s'épongeait les
yeux. Avait-il peur pour son poste. Mauvais pour lui,
cette fugue, même ratée.

*   *   *

Ah, tais-toi un peu, cigale. Je l'ai assez entendu
ton bruit de crécelle. Ce n'est pas l'heure de s'amuser,
c'est l'heure de traverser la route sans se faire voir.
Allons-y !

CHAPITRE QUINZIÈME

Vas-y Cigale. Le jour tombe rouge, il décroche son grand disque allumé. Vas-y Cigale, je suis comme à la guerre... je me suis fait un code. Au troisième coup de cigale... Mais vas-y encore une fois. J'attends cela pour me décider à traverser la route, à m'élancer à travers champs, à courir puis à ramper. Cinq cents pieds à faire sans me faire voir ! Vas-y Cigale ! Vas-y pendant qu'il y a comme une accalmie d'automobiles. Voilà le signal, merci Cigale, compris. J'ai encore un bon pas de course ? Une clôture à enjamber ! La route. et crac ! ! ! Voilà un camion dans le virage, qui surgit en trombe ! Rampez, soldat d'élite ! Au fossé ! Tais-toi Cigale, tu vas me faire repérer, car le camion roule sur ses freins dans un fracas terrible. Il s'arrête... tais-toi Cigale. Ils m'ont vu !

Un gros type, costaud, des bras de Goliath, un Samson, apparaît, debout, sur le marchepied du camion. Il est accroché à la portière. Il regarde de mon côté... Il saute sur la route. Il se tient debout avec difficulté. Il fait le tour en passant devant le camion. Là, son compagnon, un grand type mince, à demi nègre tellement il a la peau noire, c'est un nègre... — tais-toi cigale, là, le noir se sort les bras et tente de retenir le gros garçon lorsqu'il passe près de lui. Celui-ci titube. Tais-toi, cigale, on dirait que tu le guides. Il vient vers moi après s'être défait du noir au volant.

— Ah ! tu vois bien que je ne suis pas saoul. Viens voir, il est là... là ! Viens voir, viens, espèce d'idiot.

Il est debout devant moi, au-dessus de moi, les jambes écartées. Je me relève et je sors du fossé.

— Qu'est-ce que t'as ? T'es blessé ? T'as l'air pas mal abîmé ! As-tu besoin d'aide ?

— Je n'ai rien. Je suis tombé tout simplement.

Le gros a une face de boxeur, nez écrasé. Il est complètement ivre. Il tient une bouteille de bière à la main et, de temps à autre, il s'en met dans les cheveux et il frotte avec sa main gauche comme s'il s'agissait d'une lotion ou d'un shampooing.

— J'ai un peu bu « en s'en revenant », mais j'suis pas fou... Je lui ai dit à ce maudit nègre : regarde, tu vois pas, il y a un gars qui court dans le champ. Il voulait pas regarder, il voulait pas me croire.

Il se tourne vers le camion. Le noir fait le tour en regardant tous ses pneus, puis il fait quelques pas vers nous. Je ne souhaite pas que cette scène dure trop longtemps.

— Votre camarade vous attend !

— Ce n'est pas « votre camarade » ! Non, c'est un salaud. Il passe son temps à... à m'humilier. Lui, parce qu'il n'a jamais soif, il se croit supérieur... Parce que j'ai un peu bu, il se permet les affronts les plus choquants.

Le gros ouvre et referme les yeux sans cesse. Il est allé à la rencontre du noir, mais non sans me tirer par les bras avec lui. Il a une de ces poignes fantastiques qui fait que je ne peux résister. Je suis entraîné comme une paille dans un torrent.

— Regarde ! C'était lui ! Hein, qui c'est qu'est le plus rond ? Hein, qui c'est ?

Et il se penche pour baver sur la route. Le nègre me regarde :

— Il a avalé une demi-caisse de grosses depuis Lachute jusqu'ici !

— En veux-tu une ?

Le gros va, toujours en titubant, vers la cabine du lourd camion. Il réapparaît avec une bouteille, il l'ouvre d'un seul coup, avec ses dents. Le nègre me sourit.

— Il est fort comme dix bœufs ! Il est pas méchant.

— Ça tombe à pic ! J'ai une de ces soifs ! Je marche depuis... ce matin.

Je me rends compte que j'ai dit quelque chose de trop.

Le nègre me fixe d'un regard curieux, sérieux et inquiet à la fois. Le gros type s'appuie sur moi et je ne peux m'empêcher de plier.

— Tu vois pas que tu l'écrases, idiot. Il est plus fatigué que nous, tu le vois pas !

— Excuse ! Je me nomme Charly ! c'est comme ça que tout le monde m'appelle : Charly. Je sais pas pourquoi, mon nom c'est Arthur. Arthur Mathieu

Il s'appuie sur la cabine du camion puis il se laisse glisser pour s'asseoir sur le marchepied.

— Comment est-ce que tu te nommes ?

— Vous descendez à Montréal ? — Je me demande si... non, St-Joseph d'abord.

— Oui, on est déjà en retard. Tous les gars des hôtels payaient une traite, j'ai jamais vu ça ! Moi la bière, c'est peut-être parce que j'en vends, mais je peux plus en boire comme j'en buvais avant.

— Quel est ton nom l'ami que je demande ?

Le gros tient à savoir mon nom. Vaut mieux en inventer un pour le faire taire :

— Arthur Ramothe !

— Arthur Ramothe ? Eh, Arthur comme moi.

Il s'est levé et vient tout près de moi, soudainement devenu sérieux :

— T'es un joli menteur !

Il se retourne et se tient droit devant son compagnon :

— C'est un vrai menteur ! Hé ! comment c'est qu'il se nomme le fuyard à la chemise à carreaux, hein ? Ils nous l'ont assez chanté à la radio. Tout l'après-midi qu'ils nous l'ont chanté... Comment c'était déjà ? Tu te rappelles pas toi non plus ?

J'ai cessé d'avaler et je regarde le noir. Il me regarde aussi puis il baisse les yeux.

— Vous occupez pas de ce qu'il dit. Il a trop bu !

— Eh, eh ! qu'est-ce qui te prend ! Quoi, ça pourrait bien être lui ! Ah, je sais qu'il y a bien du monde à porter des chemises à carreaux... Où vas-tu ? — Il se retourne et me fait face de nouveau.

Je décidai de quitter les lieux. On n'avait donc pas cessé de me poursuivre. On ne parlait que de cela, dans les auberges, dans les hôtels, dans les restaurants : je dois être le seul sujet de conversation. Je n'ai plus qu'à bien me cacher ! Je ne savais plus comment fuir, échapper à ce gros ivrogne :

— Eh, regarde !

Arthur s'est posté au milieu de la route. Une automobile vient à grande allure. Le noir s'est jeté sur lui et l'a tiré de justesse. Il se remet au milieu de la route.

— Regarde pourquoi on m'appelle Charly !

Arthur se met à marcher sur la route, en zigzaguant à la manière de Charlot ! Le soleil a disparu. Arthur fait pitié au milieu de la route. Le nègre tourne le dos et pisse sur un arbre qui borde la route. Je pourrais les battre, les assommer avec cette barre, ce cric que j'ai vu accroché au côté du camion. Ivres comme ils le sont, ils n'offriraient pas une grosse résistance et je m'en irais avec le camion. Avec toutes ces caisses de bière, je pourrais, en faisant des échanges, trouver du linge, trouver à manger, me procurer de l'essence. Je serais bon pour une semaine ! Le gros est parvenu jusqu'à moi.

Il a une drôle de face en essayant d'être sérieux. Cela semble lui demander un effort gigantesque. Il insiste :

— Ecoute, on est pas bien reluisants, mais on est pas des salauds. On se tassera un peu, veux-tu monter avec nous ?

Le noir nous a rejoints. Il met une main sur l'épaule de son compagnon.

— Oui, si tu veux te rendre quelque part ?

— Vous êtes des bons diables. Merci. Il y a quelqu'un qui m'attend là-haut à... Je stoppe à temps.

— Comme tu voudras !

Une autre automobile s'amène. Je les salue rapidement, remets ma bouteille dans les mains ouvertes d'Arthur et je file. L'automobile s'est arrêtée ; un jeune garçon avec des moustaches propres se sort la tête :

— Vous pouvez pas me vendre une caisse, prix spécial !

— Sauve-toi, morveux !

Arthur s'est approché de l'automobile et la secoue comme s'il s'agissait d'une voiturette de bébé ! Le jeune homme démarre aussitôt. Les deux rient de bon cœur et s'en vont vers le camion. Le noir traîne un peu Arthur qui rouspète :

— Tu devrais insister. Il est mal pris, ça se voit. Je te dis que c'est lui.

— Viens, viens ! tu as trop bu. On va se faire engueuler en arrivant !

Le camion s'ébranle et repart en emportant deux hommes éméchés qui savent où je suis rendu... qui pourraient bien se mettre à parler, à raconter leur aventure au premier restaurant de St-Augustin, de Ste-Thérèse. Alors, je me dépêche ! Compris Cigale, compris, oui, oui, je me dépêche. A tes ordres Cigale !

* * *

Je devrais être là-haut dans deux heures, trois, peut-être moins. Je ne peux plus marcher vite. Les pantoufles d'Achille me tiennent mal aux pieds mais je ne peux m'en passer et marcher pieds nus, ce serait encore pire. J'attache ma chemise car un petit vent souffle.

Non, je ne pouvais pas aller en ville. Je ne voulais pas. Je veux me rendre chez Ubald. Il n'y a que chez lui que je serai heureux et tranquille. Il n'y a que lui pour me comprendre et m'aimer un peu.

* * *

Jappe, jappe, chien, pauvre chien ! Tu t'épuises à japper, tu t'énerves en vain. Je ne suis pas un voleur de campagne, je ne suis pas un quêteux de fermes. Je ne suis qu'un pèlerin. Oui, je ne fais qu'un simple pèlerinage, celui de mon enfance, celui de mes vacances de jeune délinquant ! Jappe ! tu peux japper pour moi ou pour cette lune apparaissante. Ah ! c'est pour moi puisque te voilà. Tu te donnes beaucoup de mal ! Je m'excuse mais je ne peux marcher en ligne droite. Je dois contourner toutes les habitations. Mais oui, car je n'ai pas le temps de m'arrêter et je connais les gens. Je sais, oui, je sais bien que l'on voudrait me recevoir, m'accueillir un peu partout. Les gens sont si gentils. Cette nation est tellement hospitalière. Sa bonne renommée a fait le tour du monde. Que veux-tu, petit chien gardien, descendant du pays de France ? Mais oui, je sais, tu voudrais m'entraîner chez toi. Même les chiens de ce pays ont bon cœur. N'est-ce pas magnifique ! Non, n'insiste pas, je veux bien m'asseoir un moment avec toi, mais pas plus qu'un moment ou deux. Combien de temps ça dure un moment ?

* * *

C'est parfait mon petit chien, c'est parfait que tu sois venu justement ce soir, ce dernier soir, car je vais te raconter une dernière histoire, ma dernière histoire. Ma dernière porte, oui, une de celles si nombreuses qui se refermèrent devant moi. Ecoute, voilà : Il y avait au bout de quelqu'un, un chien, au bout de quelqu'un

de bien, d'un acteur célèbre. Un petit chien dans ton
genre. Un petit chien avec des yeux intelligents qui
faisaient contraste avec ceux de son maître, le célèbre
comédien.

Je revois tout clairement. Clairement, puisqu'il y
a si peu de temps que cette dernière porte m'a claqué
en pleine figure. Il ne me manquait que cette humiliation... Il fallait que Suzanne soit là. Elle avait tenu à
m'accompagner. Elle avait dit :

— Je t'en prie, laisse-moi y aller. Il y aura des
gens qui pourront m'aider. Je ne veux pas demeurer
mannequin toute ma vie, avec du travail une fois par
mois. Si je pouvais être reçue, aidée dans ce milieu des
artistes ! Je pourrais jouer des petits rôles au début...
et bla, bla, je m'étais laissé convaincre. Ça n'avait servi
à rien... non, il faudra, la semaine suivante, l'invita-
tion de monsieur Driftman et ses vagues promesses :

— Je peux faire beaucoup pour toi, ma petite.

Je rageais de la voir sourire de ces yeux de sou-
mission et de confiance aveugle. Il continuait.

— Tu es si mignonne. Ce sera si facile, tu verras. Je te prends en main !

Et le gras Crésus joignait le geste à la parole.

Je me levai dans la voiture qui nous conduisait
à Ste-Agathe, dans les Laurentides, et je me laissai
tomber juste entre elle et le porc millionnaire. Suzanne
n'avait eu que le temps de se pousser à droite de la
voiture.

— Ne crois pas tout ce que te racontent les pères
Noël ! Et je la tuais déjà des yeux. Je voudrais descendre de cette luxueuse voiture. Monsieur Driftman avait
trop insisté, à la porte du « 400 », pour que nous y
montions tous les deux pour l'accompagner. Tous les
deux ! C'était Suzanne évidemment qui l'intéressait.
Je protestai en vain en face du restaurant.

— Non, non, pas d'histoire, montez, montez ! Il
est si amusant.

Il regarda Suzanne en lui disant cela. Elle jubilait, savait bien que c'était une insulte de me trouver « si amusant », puisqu'il faisait allusion à la constante surveillance que je venais d'effectuer à l'intérieur du chic restaurant. Suzanne, au bar, avait accepté toutes les consommations offertes. Le salaud ! Il avait une façon de nous prendre tous les deux dans un même sac. Il répétait :

— Je trouve que vous formez un couple si gentil.

Et il s'approchait de l'oreille de Suzanne :

— Il est merveilleux de jalousie ! Regardez-le !

Et moi, idiot, je grognais comme un enfant. Alors, il éclatait de son rire de père Noël jouisseur :

— Mais regardez-le, mademoiselle Suzanne. Il est magnifique !

Il me tapait sur l'épaule.

— Je vous trouve parfait ! Adorable !

Ses gros yeux rougis et pochés prenaient un air sérieux sur commande ; l'habitude de passer du plaisir aux affaires :

— Tenez, je vais vous aider. Je veux faire quelque chose pour vous.

Et il commandait, il commandait. Suzanne était excitée de me voir malade de jalousie, et de le voir lui, le gros tout-puissant, lui tourner autour et lui murmurer des promesses, des projets de télémissions.

— Vous allez voir. Je n'aurai qu'un coup de téléphone à donner et on vous engagera. Qu'est-ce que vous aimeriez faire. Je suis le plus gros actionnaire du poste, vous savez ! Il y a la présentation des films le dimanche soir, ça vous intéresse ? Non, il faudrait quelque chose qui vous rapporterait bien davantage. Oui. Vous êtes toute désignée pour les commerciaux des appareils électriques du « Petit Vaudeville » le samedi. Je connais bien ces messieurs de l'agence. Il sauta avec effort sur le tabouret voisin de celui de Suzanne.

— Laissez-vous faire et l'affaire est dans le sac, vrai comme c'est moi qui vous baise la main.

Et il lui baisait la main et le bras et l'épaule. Suzanne était ravie, à moitié ivre, et se laissait faire. C'est elle qui gagnait. Sur tous les fronts. Cette réception du « 400 », j'y étais parce qu'elle m'avait invité à cette parade de mode au bénéfice des hôpitaux pour enfants. Elle, elle savait où naviguer. Elle me le prouvait... J'avais perdu, je le savais, depuis cette soirée de la semaine précédente où le grand acteur, oui, celui qui pendait au bout de la laisse du petit chien, me disait d'un ton noble et d'une voix bien placée :

— Jeune homme, le théâtre c'est la vie, et la vie, c'est le théâtre !

Oh ! petit chien de campagne, que cela résonna bien. Ton frère jumeau, le petit chien de ville, s'en rabattait les oreilles sur les yeux. Voulait-il applaudir la voix si bien posée de son maître, ou bien la profondeur de cette noble pensée ?

Je ne comprenais rien à rien. Encore une fois, c'était ma faute. Je n'aurais pas dû accepter de faire la publicité de ce super-spectacle offert par le syndicat des artistes pour venir en aide aux grévistes des industries de la fourrure. Erreur ! Je m'étais promis de briller, pour Suzanne. Je devais lui prouver que je comptais pour quelque chose. A l'entrée du « Queen's », le portier de l'hôtel me demande mon nom, puis, épingle un bout de carton sur mon veston. Mon nom y est imprimé, et en dessous, « responsable de la publicité ». Suzanne était fière. J'étais heureux. Enfin, la porte fonctionnait bien. Elle s'ouvrait bien, et toute grande. Enfin, j'avais trouvé une porte qui n'allait pas se refermer, et c'était la porte la plus importante aux yeux de Suzanne ; la porte du monde du spectacle.

La salle louée était remplie de délégués. On les nomma à tour de rôle : délégué des musiciens, applaudissements, délégués des compagnies de théâtre, applaudissements, délégués des artistes de cabaret, applaudissements, délégués des chanteurs et chanteuses, applaudissements, délégués des danseurs et danseuses, applaudissements... Puis, soudain, moi aussi, mon nom, je me lève, applaudissements. Suzanne prend ma main et la serre dans les siennes qui sont moites de plaisir et d'excitation.

Le programme s'élabore, je prends des notes. On m'explique, à moi, le contenu de chaque contribution. On me fait des suggestions :

— Vous savez... euh... nous savons, enfin, nous aurons deux numéros. Pour le public, nous préparons une chorégraphie assez moderne sur une musique originale du jeune compositeur Morel, oui... tandis que la veille du spectacle... euh, enfin, pour les grévistes, nous représenterons quelque chose de plus... de moins... nous avons en « stock » quelque chose de plus à leur portée.

Ma main tremble sur ma plume... Le chargé d'affaires se lève, se penche au-dessus de la table ronde pour me dire :

— Alors, ne notez que cette deuxième présentation. Nos syndiqués n'ont pas besoin de savoir qu'il y aura autre chose, le lendemain, pour le public « payant » ! Je me lève, blême :

— Je ne vois pas pourquoi ces messieurs de la chorégraphie s'imaginent que nous ne pouvons apprécier...

— Voyons, je vous en prie !

Le chargé d'affaires a donné un coup de poing sur la table.

— On ne vous demande pas vos commentaires mais uniquement de préparer la publicité du spectacle pour le journal.

C'était la première gaffe. Suzanne s'est appuyée au dossier de sa chaise. Elle surveille le combat. Le responsable de la partie « chanteurs » se lève aussitôt :

— Je préfère dire tout de suite que pour le spectacle aux syndiqués, nous avons invité nos chanteuses les plus populaires de l'heure, qu'elles auront un programme d'une douzaine de chansonnettes parmi celles qui sont sur le « hit parade »... que... enfin, nous n'avons pas cru bon d'inscrire, pour cette soirée spéciale, l'opéra de Menotti !

Tout le monde me regarde écrire lentement, très lentement. Je ne dis rien. Le chargé d'affaires soupire bruyamment. Il croit bon, néanmoins, d'ajouter :

— Il faut comprendre, messieurs, que nos gens sont au cœur d'un conflit qui les prive de leur travail depuis déjà quatre mois et que, par conséquent, il se serait pas approprié de présenter, pour eux, un programme trop... sévère, trop sérieux, trop lourd à digérer.

Il me regarde à la dérobée. Je ne bouge pas.

— Je tiens donc à remercier les différents représentants et responsables d'avoir eu la bonne idée d'en tenir compte dans la préparation de ces spectacles.

Puis, il y a cette voix nasillarde qui se fait entendre du bout d'une table et qui énonce, à ma grande stupéfaction :

— Messieurs, comme je ne m'occupe que de la publicité du spectacle normal, je ne dois donc pas tenir compte de ces numéros spéciaux pour le spectacle aux syndiqués ?

Ainsi, après m'avoir promis la responsabilité de toute la publicité, on avait cru bon d'engager ce petit journaliste imberbe et fantasque que je connaissais bien, pour rédiger la publicité générale au grand public. Je devais être rouge de déception et de rage.

La porte se refermait lentement. Encore une fois, la porte se refermait. J'étais, encore une fois, exclu d'un monde où je voulais tant pénétrer... Suzanne qui, comme moi, venait de comprendre le sale petit manège, se leva et prétexta avoir soif pour disparaître.

Lorsque je la revis, elle était dans les salons réservés pour fêter et clôturer la mise sur pied de ce gala de bienfaisance. Elle s'était affalée au fond d'un petit divan, et le vieil acteur superbe, assis sur un des bras du divan, penché au-dessus d'elle, lui récitait des extraits d'Hamlet et de Macbeth. Entre chaque tirade, il commentait. De la table où j'avalais par distraction, les saucissons et les crevettes frites, je la voyais, jouant la « ravie » battant savamment des paupières. L'autre avait laissé trotter son chien pour ne s'occuper que de cette charmante ingénue qui l'écoutait déclamer en « pompier classique » ses extraits de Shakespeare. Je fis le tour de la salle et m'approchai du divan des pâmoisons. Le superbe s'écoutait ronronner avec délices :

— Voyez-vous, mon petit ange, le crime, pour Macbeth, était son élément. Il s'y sentait bien comme le poisson dans l'eau, l'oiseau dans l'air. Il obéissait à sa propre volonté, ce qui est plus rare qu'on veut bien le croire ! L'acteur qui joue ce rôle doit savoir apprécier ceci : que Macbeth ne peut faire autre chose que des crimes. Sa personnalité le demande, lui impose ces gestes cruels.

Il caressa le front de Suzanne d'un doigt, comme il devait le faire avec son chien.

— Petite fille, je vous fais peur. Vous m'écoutez avec vénération mais aussi avec effroi. Croyez-moi, pourtant, il y a, au théâtre, des assassins qui se doivent d'être aussi purs, dans leur méchanceté, que des saints !

Suzanne bougea un peu et risqua :

— Quand vous dites cela, je pense à Olivier, l'acteur du cinéma, dans Hamlet !

Le « maître » éclata d'un petit rire poli, la main devant la bouche :

— Ma beauté, Hamlet, c'est autre chose. Oui, tout autre chose. Voyez-vous, Hamlet agit par idéal. Il tue

mais dans une sorte de perspective moins éclatante,
moins intransigeante. Au contraire de Macbeth, Hamlet ne tue pas pour lui, pour sa sécurité ou son besoin,
sa soif de puissance... mais il venge, il tue pour nettoyer,
il sait qu'il se fera punir mais il agit, en quelque sorte
pour les autres, vous comprenez mon petit chou. Et... il
aime... oui, il aime Ophélie !

Il ouvrait les bras comme si, en disant cela, il
venait de mettre en évidence que l'amour excusait
tout mais, en même temps, embrouillait tout. Il se
pencha pour embrasser Suzanne sur le front, quand
je surgis pour lui dire :

— Etes-vous capable, monsieur, de faire du théâtre
au théâtre et en même temps dans la vie ?

— Jeune homme, le théâtre c'est la vie et la vie,
c'est le théâtre...

* * *

Suzanne m'en voulait de les avoir séparés, elle et
l'acteur célèbre au petit chien.

— Tu l'as fait fuir avec ta tête de jaloux mania-
que. Il m'avait déjà parlé de me donner des cours,
de m'aider...

— Eh bien, j'ai vu quelle sorte de leçons il s'ap-
prêtait à te donner !

— Jaloux ! Jaloux !

Suzanne n'était plus la même. Ma déconfiture
dans la salle, tantôt, l'avait changée. Elle n'était plus
fière de moi. Elle me fuyait. Elle allait d'un groupe
à l'autre, et moi, je la suivais à distance. Elle ne
voulait pas que je sois sur son chemin, que je l'aide...
Oui, Suzanne ne croyait plus en moi, n'avait plus du
tout confiance en moi. Et je la comprenais. Je savais
bien pourquoi ! Elle avait vu, ce qui arrivait ce soir,
se répéter vingt fois, cent fois. Chaque fois que j'essayais, que je tentais de me faire admettre dans l'un
de ces milieux bien cotés, il m'arrivait la même histoire.

toujours cette porte, cette porte affreuse qui se refermait. Et je ne comprenais pas pourquoi... et personne ne m'expliqua jamais pourquoi...

* * *

Je te caresse, je te caresse, petit chien de campagne et tu t'es endormi sur mes genoux épuisés. Tu n'écoutes pas les plaintes de ce fou, de ce marcheur des champs, de ce traqué.

Je l'ai tuée la semaine suivante. Cette nuit-là, filant vers Ste-Agathe, elle ne me parlait plus, lui non plus. Ils s'entendaient. Ils s'étaient entendus. Elle croyait en lui, pas en moi. Elle savait que lui pouvait tout, qu'avec lui, elle allait sortir de mon monde à moi, de mon monde de misères : elle allait sortir de son petit studio de la rue Oxenden, de ses petits repas d'une frugalité trop souvent monastique, toujours le même fromage, le même bout de pain, le même vin rouge ou blanc, à bon marché, toujours cette étroite fenêtre avec sa lumière « étroite » sur ce lit « étroit ». ce lit dur, ce lit criard et branlant où, dans mes bras. elle murmurait :

— Au moins, tu fais bien l'amour !

* * *

Maintenant elle se fichait pas mal que ce richard fasse plus ou moins bien l'amour. Elle voulait se payer des robes, manger toujours à sa faim, et dormir dans un lit convenable avec une fenêtre assez grande pour ne pas être obligée d'allumer la lampe à midi !

Vois-tu, petit chien endormi, mon histoire est si simple et si bête que je fais mieux de me cacher et de fuir car il y en a, il y en a beaucoup qui veulent m'attraper pour me passer une vraie corde au cou, pas une petite corde comme celle-ci !

CHAPITRE SEIZIÈME

Le petit chien de campagne devient mon ami. Les animaux font vite. Il est assis près de moi qui suis étendu, je passe mes mains entre les mailles de cette clôture. Je me sers de tomates d'abord. Bon ! Avançons en rampant. Le chien gentil me suit aussi, sans japper, sans prendre la peine d'avertir ses maîtres. Ici, il y a de la laitue comme je l'aime, frisée. Un petit animal bouge, se sauve. Voilà que mon petit ami le prend en chasse, en jappant très fort. Une lumière s'allume. Une silhouette apparaît. Quelqu'un appelle le chien. Je n'ai plus qu'à disparaître. On ne sait jamais.

J'ai couru, je suis malade de n'avoir pu manger à ma faim. Il faut que je me repose un moment. Là-bas il y a un arbre. Cet instinct d'aller aux arbres. J'ai les pieds qui me font un mal atroce. Je n'ai jamais tant marché de ma vie. Il me semble que je marche depuis des mois. Je suis écœuré. Je vais essayer d'arriver chez mon très cher Ubald avant la nuit complète. Alors, il vient cet arbre ? Je marche d'un pas trop lent. Allons mon corps, en avant, allons mes pieds, levez-vous, relevez-vous à temps, plus vite, plus vite. Je souffle comme un âne. On doit m'entendre souffler jusqu'au bout du monde.

Qu'est-ce que c'est ! Là, cette forme grotesque, blanchâtre je crois bien... et cela bouge, remue. Je suis tombé dessus sans l'apercevoir. Que je touche, que je te palpe ! Quelle espèce de bête de nuit est-ce donc ? Ce n'est qu'une simple vache ! Ne bouge pas ! Tu me donneras bien un peu de lait, non ? Pour un pauvre vagabond ? S'il vous plaît, madame, la charité pour l'amour du bon Dieu ! Pour l'amour de la misère, pour l'amour des hommes qui sont si bêtes, plus bêtes que

toi ! Merci Madame, de ne pas vous effaroucher ! Merci
de me laisser m'étendre sous vos pis gonflés...

Ce lait m'a donné un peu de force. Eloignons-nous.
Au revoir bonne dame patronnesse d'une œuvre gran-
diose. Tu as nourri ceux qui ont soif, tu iras au
paradis. Je te le promets. On promet bien cela à des
gens plus bêtes que toi. Je te le dis, en vérité, tu iras
au royaume des cieux ! Adieu.

Que fait cette vache dans cette campagne sans
lune, dans la solitude noire de ce champ ? Réponse :
elle fait une masse un peu moins sombre sur la campagne qui ronfle de toutes ses grenouilles, de tous ses
grillons. Je ne sais rien, je ne connais rien de la
campagne. Cette vache dehors, la nuit, seule au milieu
des champs, me semble être la chose la plus insolite
qui soit. Mais peut-être est-ce normal. Peut-être y
a-t-il des animaux dans tous les champs, en ce moment,
qui regardent dans le noir sans rien voir, comme
ma bonne vache nourricière, qui regardent cette nuit
opaque, qui se demandent eux-mêmes ce qu'il y aurait
à faire quand on ne les fait pas travailler.

D'ici, je n'entends plus les bruits de la route mais
je peux voir les feux qui filent devant chaque voiture
qui passe. Des petits points lumineux, seules clartés
discernables dans cette nuit sans lune et sans étoiles.

J'ai eu la chance de dénicher cette petite cabane
à outils car, brusquement, la pluie s'est mise à tomber
à torrent. Elle fait une sorte de lumière pâle, grise.

J'avais pris le chemin de sable battu qui conduit
à St-Joseph du Lac, en traversant des petits bois touf-
fus. Le chemin fait des méandres nombreux et soudain, je suis inondé par cette averse. J'étais tout en bas
d'une des nombreuses côtes qui gravissent les monts
de la région, et je découvre cette petite cabane à demi
remplie de sable, avec, accrochés au mur, des pelles,
des sacs vides qui contenaient du sel. Cette cabane
doit servir aux fermiers en panne, quand le chemin

se couvre de glace, l'hiver. Pour ne plus avoir à me pencher en deux, je prends une pelle et je sors une partie du sable. La pluie ne cesse de tomber. Par la petite porte ouverte, je peux voir briller les cailloux de la route.

Devrais-je monter chez le père Ubald dès que la pluie cessera, ou attendre jusqu'à l'aube ? En arrivant en pleine nuit, il posera des questions. « Il a encore fait un mauvais coup » se dira-t-il. Il me semble qu'une autre nuit de sommeil me rendra meilleure apparence. Idiot ! cette longue barbe, ce pantalon en lambeaux, ces savates inutilisables...

J'irai demain matin. Maintenant, je suis trop tendre, je pourrais m'évanouir, et pleurer dans ses bras. Il se poserait des questions. Oui, c'est cela, j'attendrai ici jusqu'à l'aube. D'ailleurs, cette pluie ne semble pas près de se terminer ! Ubald sera moins étonné. Je ne dois pas être à plus de trois ou quatre milles de sa maison. Encore quelques côtes à gravir demain, et tout finira. Lui, Ubald, me dira quoi faire, où aller. Il me donnera de l'argent, des vêtements, tout, j'en suis sûr. Je le connais. Il m'est déjà arrivé, après avoir fui, ou l'école ou la maison paternelle, de me rendre jusqu'ici. Chaque fois, il ne me posait aucune question embarrassante, il m'accueillait simplement, comme si je l'avais vu la veille. Il me donnait à manger, me montrait l'ouvrage à faire. Après quelques journées, il me disait :

— Ecoute, as-tu pensé que tu ferais mieux d'aller faire un tour d'où tu viens ; histoire de les rassurer. Et puis, tu reviendras.

Voilà ce qu'il me disait, et il ajoutait :

— Fais à ta guise, fais à ta guise. Je te dis ça... comme ça...

Oh ! père Ubald, mon vrai père, si je t'écoutais, je marcherais, je partirais tout de suite. Je gravirais toutes ces côtes, je me rendrais jusqu'à ta ferme à

quatre pattes, s'il le fallait, mais je veux être encore
un peu raisonnable. Je veux bien attendre jusqu'à
l'aube pour cette joie de te retrouver.

J'ai encore dormi ! Je ne sais trop combien de
temps. Je me demande d'où vient cette facilité à m'endormir. Etait-ce vraiment la fatigue ? Ne serait-ce
pas cet impérieux besoin d'échapper à la réalité. Jeune,
enfant, battu, innocent, parfois coupable, puis souvent
coupable des pires forfaits, je me réfugiais dans le sommeil : ces bons bras que nous offre le Dieu Temps et
qui fait reculer tout, qui fait attendre tout, les châti-
ments, la justice, les règlements de comptes.

Qu'ai-je fait ? En effet, j'ai réellement perdu conscience de ce que j'ai fait il y a, il me semble, très
longtemps. Qu'ai-je commis de si grave ? Qu'est-ce
que j'ai encore fait pour que je doive me terrer dans
cette cabane, me traîner à travers les champs, passer
inaperçu, méconnaissable ? Je m'examine. J'ai réussi
à allumer une des lampes à pétrole qui pendent ici.
Je m'inspecte. C'est bien moi, tout ça : ces hardes, ce
costume loqueteux ? Ah ! ça me revient ! Ecoutons
cette triste histoire, oui, je vais me la raconter pour
voir l'effet qu'elle me fera. J'ai bien besoin de me
résumer, de comprendre ce qui m'arrive, d'être certain
que je ne rêve pas. Allons-y dans les formes :

— « Il était une fois... (bon début), il était une
fois un petit enfant comme tout le monde (trop gentil,
on sent que tu veux nous posséder), un petit garçon
qui apprit à marcher sur ses deux petits pieds (c'est
ça ! le coup du mignon poupon... tu vas m'avoir !), il
apprit aussi bien des choses, très tôt. Il apprit à se
défendre des coups reçus, il apprit à se vêtir seul, à
manger seul, à grandir seul, car maman et papa étaient
trop occupés ailleurs, un peu partout, à danser, à
boire et à courir après les chers plaisirs « éphémères »
de la vie. (Je trouve ça assez grandiloquent ; ça veut
attendrir, ça veut toucher. Dis la vérité, mais dis donc

la vérité !) La vérité, la voilà ! Oui, le petit enfant poussait très mal, il était, comme on dit, de la mauvaise graine. Oui, oui, il nourissait des instincts « sauvages ». (Le mot est-il assez fort ?) On voyait bien, déjà, qu'il serait un enfant problème ! Disons-le, « un mouton noir ». Oui, un seul mouton, seul. Et c'est un « mouton noir ».

Il y a une drôle de voix derrière moi qui veut me parler, qui a envie de m'engueuler, à qui je laisse la parole...

— « Merci ! Tu veux que je te dise ? Tu es un petit salaud ! Peu nous importe que tu aies déjà été un pauvre enfant, que toute ton enfance fût ou ne fût pas misérable, que tu aies grandi sans amour, sans chaleur, sans amitiés, dans le mauvais exemple de tes ivrognes de parents. On s'en fiche. Tu nous embêtes. Oui, oui, on connaît bien la chanson contemporaine : cherchez dans l'éducation, voyez l'enfance. Freud, Jung et compagnie ne nous impressionnent plus. Depuis le début de tes jérémiades que tu nous rebats les oreilles avec tes mauvaises rencontres, avec l'incompréhension de tes juges, de tes maîtres, de tes parents, et pendant tout ce temps-là, tu oublies ce que tu as fait. Tu ne nous dis rien à son sujet. Oui, ne secoue pas la tête, tu sais de qui je veux parler, et justement, tu t'efforces sans cesse de ne pas nous en parler. Pourtant, elle est là, sur ta peau, collée à toi, tu as envie de la nommer à chaque battement de ton cœur, tu as de la peine à ne pas nommer son nom... »

— Suzanne ! Oui, c'est vrai. Je sais. Je sais bien que j'ai tué Suzanne. Non je ne l'oubliais pas ! Mais vous ne voulez pas comprendre. Je ne pouvais pas faire autrement que de la tuer. C'est difficile à admettre je le sais bien. Eh bien ! voyez ce beau courage je suis prêt à en parler, à raconter son histoire, notre histoire. Ecoute bien, ma bonne conscience, ma mauvaise conscience, écoute bien :

Il était une fois un grand fainéant revenu d'une guerre gagnée par personne, qui regardait l'eau du fleuve. L'eau du fleuve était noire et verte, d'un vert olive mûre. Il y avait sur ce bateau à excursions à bon marché, une longue fille appuyée au bastingage qui regardait passer l'eau verte et noire. Le grand désœuvré, c'était moi ! Alors, je marche vers la jeune fille penchée, et je parle à la jeune fille qui ne semble pas m'écouter :

— Vous avez froid ? Il fait froid ! Il est trop tard maintenant pour ces excursions en bateau... Il n'y aura plus d'excursions la semaine prochaine... je crois... je crois que c'est la dernière fois...

Elle ne me regardait pas, toujours penchée sur le fleuve aux frissons noirs et olive. De l'orchestre de la piste de danse nous parvenaient des rythmes sud-américains. Derrière nous, on riait, on buvait, on dansait, on s'amusait comme des fous. Moi, je ne m'amusais pas. Je ne me suis jamais réellement amusé, nulle part, jamais. Cette jeune fille ne s'amusait pas non plus ; on croit toujours que cela suffit pour devenir amis.

— Vous êtes accompagnée peut-être ?

— Si peu !

Elle se releva et marcha un peu sur le pont. Je passai sous un escalier de fer et me plantai devant elle, lui barrant le passage :

— Qu'avez-vous ? Pourquoi avoir l'air si triste ?

— Vous n'avez pas l'air de vous amuser vous-même !

Je la laissai passer devant moi. Elle me jeta un regard désolé qui me fit avoir le goût de l'amener danser, de la consoler de sa tristesse, de faire le clown, de marcher sur les mains, je ne sais pas. Je voulais absolument la voir sourire. Les gens tristes ont les plus beaux sourires. Elle s'était arrêtée devant les portes ouvertes de la salle de danse et me regardait.

Les couples qui passaient en dansant près de la sortie faisaient des ombres géantes au plancher, et son visage m'apparut comme un masque tragique qui s'allumait et s'éteignait.

Je m'approchais lentement. Déjà, je pressentais que nous allions nous connaître et nous aimer, et je n'étais pas certain de le vouloir. Cette tristesse, sa tristesse avec la mienne, celle que je traînais depuis toujours n'allait-elle pas me rendre l'existence encore plus étouffante...

— Voulez-vous danser ?

— Vous ?

— Si vous en avez envie !

— Vous n'avez pas le goût de danser, pas plus que moi !

— Non... Je ne sais pas. Faire ça ou rien ! Pourquoi êtes-vous si triste ?

— Les dimanches soirs, je suis plus triste encore.

— Parce que ?

— Parce que le lendemain il faut travailler, recommencer une semaine semblable aux autres semaines. Attendre le samedi, attendre les vacances de l'été, et puis... recommencer à patienter.

— Je vous comprends.

Je lui pris le bras, et nous partions d'un pas mesuré. Nous nous accordions déjà en marchant. Je considérais toujours cela comme un signe, le signe d'une entente complète, parfaite.

— Moi aussi je suis comme vous. Je suis fatigué de toujours commencer des jours semblables.

— Que faites-vous ?

— Je traduis des articles américains pour « Liberté, Travail ». Nous faisons l'adaptation française du « Work and Liberty ». Vous connaissez ?

Pour une fois, j'avais été précis et franc. Plus tôt, à une petite secrétaire d'un bureau d'avocat, j'avais menti. Je pondais article sur article, et on les

éditait en anglais à travers les Etats-Unis ! J'étais lu
par tous les ouvriers, de Chicago à Los Angeles. Mais
avec cette fille, je n'avais pas cédé à la tentation de
mentir, de vanter, d'exagérer ma position à « Liberté,
Travail ». Mais, elle, avait cru bon de me mentir, et
cette situation de mannequin, de modèle très en demande, expliquait mal son dégoût des lundis, des
semaines d'ennui.

— Suzanne, qu'est-ce que tu faisais ? On t'a cher-
chée partout. Arrive, on s'en va prendre un coup à
Sorel. Arrive, on va accoster et on veut être les premiers à débarquer.

Le gaillard, qui lui serrait la taille et semblait
avoir déjà commencé à « prendre un coup », l'entraîna
avec lui sans daigner me remarquer. Elle se laissa
faire après m'avoir jeté un regard d'ennui et de regret.

Je retournai vers le bastingage, à l'endroit où
je l'avais aperçue pour la première fois. Mon pied
toucha quelque chose par terre. Suzanne y avait dé-
posé son sac à main pour regarder l'eau du fleuve.
J'étais heureux, c'était une chance car je voulais revoir
cette fille aux yeux si inquiets, cette fille à la voix
étrange, une voix qui pleurait en parlant des jours
et des semaines à vivre.

C'est ainsi que je l'ai connue. J'étais allé à sa
rencontre le lendemain midi. Sa carte de syndicat
m'avait indiqué le chemin. « Josef Gaugstein Inc. »
était une de ces manufactures de vêtements pour dames
comme il s'en trouve rue Bleury, rue St-Laurent. Les
ouvrières étaient sorties depuis plusieurs minutes, et
Suzanne se faisait toujours attendre. Je décidai de
monter à l'étage de l'édifice où logeait la « Josef Gaugstein Inc. ». Plus tôt, j'avais remarqué un jeune homme
stationner sa voiture-sport et s'engouffrer en vitesse
dans l'édifice. C'est lui que j'aperçus, par une porte
laissée entrouverte, assis sur un petit bureau en désordre. Le nom de Suzanne me fit sursauter, et j'écou-

tai ce que se disaient ces deux hommes dont l'un invisible, semblait le père du jeune homme à la petite voiture blanche. Ils parlaient anglais avec un fort accent américain.

— Suzanne, mon garçon, n'est pas une fille pour toi !

— Je suppose qu'elle est une fille pour toi !

J'entendis le bruit d'une gifle et, de mon coin, je vis le jeune homme porter la main à sa joue puis serrer les poings.

— Fais attention à ce que tu dis. Tu ne travailles pas, ni ici ni ailleurs. Je ne te reproche pas de ne pas m'aider. Je n'ai pas besoin d'un voyou et d'un fainéant comme toi. Tu te promènes toute la journée dans ce petit engin infernal que j'ai dû payer, tu te fais ramasser par la police à chaque fin de semaine et je dois encore payer... J'en ai assez de toi. Et tu te permets de me juger ? Tu es allé trop loin.

— Je m'en irai, mais réponds-moi, qu'as-tu fait de Suzanne ?

Il y eut un silence. J'entendis que l'on versait à boire. Le jeune homme s'alluma nerveusement une cigarette.

— Eh bien, je lui ai téléphoné pour lui dire de ne pas venir travailler ce matin !

— Ni les autres matins, n'est-ce pas ? Tu l'as congédiée ? Tu as trouvé ça pour te venger de moi ? pour me punir ? Tu n'es qu'un sale vieux jaloux !

Le bruit d'une autre gifle retentit. Le jeune homme fit un pas vers la porte. Je me cachai derrière des tas de robes sur une petite table à côté de moi.

— Vas-y, tu peux te soulager ! Profites-en bien car tu ne me reverras plus !

— Où veux-tu aller ?

La voix du père s'était faite moins sévère, inquiète.

— Qu'est-ce que ça peut te faire ? Tu ne m'auras plus dans tes jambes ! Tu pourras faire ce que tu veux avec elle.

Il y eut un lourd silence. Il se versait encore à boire. Sa voix était restée plus douce :

— Moi, au moins, je ne lui monte pas la tête. Je ne lui promets pas mers et mondes. Je ne lui fiche pas en tête des idées loufoques de modèles, de gros contrats, d'expositions itinérantes.

— Mais, elle est assez jolie pour l'avoir déjà fait !

— Je pense bien, eh, Jésus-Christ, elle a posé trois fois en six mois !

— C'est difficile ici, on n'est pas à New-York !

— Oui. Et depuis ce temps, mademoiselle est trop belle fille pour travailler aux machines comme tout le monde. Elle passe des heures à « rêvasser », elle se permet d'arriver à n'importe quelle heure. Et tout le monde est influencé par son comportement. Tu as défait tout le bon fonctionnement de cet atelier.

Le fils ajouta d'une voix calme, et pesant chaque mot :

— J'ai défait surtout tes petits plans de bonne petite maîtresse un peu niaise, beaucoup innocente. Et c'est ça, ça uniquement qui te déplaît. Vieil égoïste ! Tu n'as jamais pensé que cette fille pouvait faire autre chose que de te donner double travail pour un seul salaire ? N'est-ce pas, monsieur Gaugstein ?

— Tu es un ingrat, va-t-en !

De ma cachette, je vis le jeune homme sortir, rouge de colère. Il renversa les robes empilées qui me cachaient. Il dévala l'escalier, puis j'entendis hurler le moteur de sa puissante voiture. Je retournai à la porte d'entrée de l'atelier et je toussai pour avertir de ma présence.

— Que voulez-vous ?

Josef Gaugstein, le front en sueur, des « lunettes » sur le front, me regardait d'un air épuisé.

— Je cherche mademoiselle Suzanne Lavoie. J'ai quelque chose à lui remettre.

— Ah, vous aussi vous la cherchez ? Eh bien, elle

ne travaille plus ici. Vous la trouverez aux bureaux de l'assurance-chômage dans une semaine ou deux.

Il était rentré dans son bureau et avait fait claquer la porte derrière lui.

* * *

Nous nous sommes vus tous les soirs pendant des mois et des mois. Je ne sais plus depuis quand, Suzanne et moi, nous nous connaissions. Trois ans, peut-être quatre. Je ne sais pas. Nous étions tellement semblables, nous nous étions si vite compris, qu'il nous semblait nous être toujours connus, avoir toujours vécu ensemble.

Elle était ma sœur, un soir, à qui je faisais toutes les confidences, même celles qui auraient dû l'enrager de jalousie. Elle était ma mère, certains autres jours, à qui je me plaignais, comme un enfant, de mes désillusions, de mes échecs, de mes peines, de ma misère à vivre. Certains soirs, elle était mon amie, ma maîtresse quand nous nous caressions et faisions l'amour jusqu'à l'aube : elle pour oublier le bruit morne des machines à coudre de son nouvel emploi, moi pour effacer l'humiliation de n'être qu'un pion insignifiant dans cette vaste machine qu'était l'édition française anonyme du journal américain.

Nous ne nous aimions pas, je crois. Nous étions une simple et pratique habitude, l'un pour l'autre. Nous ne faisions qu'essayer de nous soulager de cette misérable existence.

C'est bien pour ça que je ne peux pas tellement avoir horreur de mon geste puisque, pour une fois, avec courage, je l'ai délivrée de tout et pour toujours !

Et moi, moi, qui me délivrera ? Qui me délivrera ?

CHAPITRE DIX-SEPTIÈME

« Où suis-je ? J'ai marché durant mon sommeil ! Cette nuit dure longtemps... L'eau de la pluie dégouline de tous les arbres. Le chemin de sable s'est volatilisé... Ai-je avancé dans la bonne direction ? La direction : père, bon père Ubald, c'est par là ?

Il devrait y avoir un poteau-indicateur ou une petite enseigne minuscule, mieux, des affiches tous les vingt pas. Oui, je mériterais cela. Moi, je me suis mérité cela, d'être conduit, d'être porté chez Ubald, mon père d'été. Le chemin perdu devrait me revenir, et là, se dérouler comme un tapis mécanique et me porter jusqu'à la maison d'Ubald.

Depuis que je suis tout petit, je vais chez Ubald. J'ai marché, j'ai sué, j'ai tout perdu, j'ai mérité de revoir Ubald. Je n'ai pas mérité de me perdre dans ces bois, à quelques milles de sa demeure. Il ne me reste plus assez de force pour me relever de ce lit de fougères trempées. Je ne veux plus marcher, je veux attendre ici. C'est impossible que quelqu'un ne vienne pas me chercher, me prendre dans ses bras et me conduire chez lui, chez Ubald. Quelqu'un, un ange, je me contenterais d'un diable, de n'importe qui... Dieu ! Je suis exaucé ! Ces craquements, ces branches qui se cassent... On vient ! Bienvenue, ange ou démon ! C'est heureux que, dans ma ronde de somnambule, j'aie eu la bonne idée d'emporter ma lampe à pétrole !

— Avez-vous une civière, une chaise et des porteurs, un carrosse de fée, ou, ange moderne, une luxueuse voiture de l'année ?

Je distingue mal dans les ténèbres de cette fin de nuit, mais il y a là-bas, une masse noire, immobile, qui me guette tête baissée.

— Je dois me rendre jusque-là ? Je dois aller à toi ? Tu feras le reste du voyage ! C'est promis ?

Allons-y, mon corps épuisé. Je te demande encore ce dernier effort. Viens voir le doux monstre sorti de la préhistoire pour m'aider. Je me traîne, m'appuyant sur les frêles petits arbres de ces bois, J'écarquille les paupières mais je ne peux pas mieux distinguer. Les grenouilles scandent un rythme que je ne peux suivre. Il y en a qui sautent devant moi, me précèdent joyeusement, m'ouvrent ce chemin vers ma bête libératrice !

Suis-je prudent ? On ne sait jamais ! Je devrais ramasser ce tronc de bouleau pour me défendre, mais je ne peux pas. Si je me penche, il me semble que je resterai plié en deux, que je ne pourrai même pas me relever... Je ne peux pas croire que je doive encore me battre, me défendre. Non, pas moi, on ne peut plus m'attaquer. Non ! Je ne crains rien. Je suis rendu trop près du but. Avançons vers cette bête d'ombre et de tranquillité... Elle a crié ! Oh, l'étrange cri ! Sorte de beuglement, sorte de cri humain...

— Qui va là ?

Dès que je m'arrête de marcher, l'ombre ne bouge plus ! Elle m'attend.

— Qui es-tu ?

Encore un cri strident ! Différent, cette fois. Curieuse bête qui possède plusieurs cris. Là, qu'est-ce que c'est ? Un oiseau ? C'est un oiseau qui a volé au-dessus de ma tête. Le monstre fait partir des oiseaux, ses oiseaux, pour m'annoncer que je m'approche de lui. Un autre oiseau... Ils semblent venir de sa tête. Ils partent de sa tête...

— C'est gentil à toi, très gentil. Merci ! J'arrive !

Un autre craquement de broussailles... derrière moi, cette fois ! Je suis suivi. Oui, là, ce nouveau monstre, plus mince et plus haut que ma bonne bête de devant. Il m'a suivi ! Il ne bouge plus, tente de se cacher lentement derrière un rideau de sapins. Cette lanterne ne jette qu'une mince clarté, une insignifiante lumière.

— Je t'ai vue, sale bête !

Mon bon monstre a bougé. Il a peur de cette sale bête avec ses longs bois pointus.

— Ne crains rien ! Je suis là ! C'est toi que je choisis !

La grande bête aux longues cornes reste là, derrière moi, immobile. A ses pieds, des petites choses s'agitent, se déplacent, viennent vers moi. Ça rampe ! Ça saute ! Je n'aime pas ça. Les oiseaux s'agitent, crient, passent et repassent. Je ne peux pas les voir. Je les entends voler, ils battent des ailes avec vigueur et nervosité. Un combat va s'engager entre eux et les petits reptiles de la sale bête : un combat à mort, je le sens. Ces tortues, crabes ou scorpions ont cessé d'avancer sur moi. Les oiseaux volent plus lentement, se posent dans les branches des arbres...

Mais, où est donc ma bonne grosse bête ? Elle n'est plus là devant moi !

— Ne me laisse pas, bonne bête ! Ne m'abandonne pas.

A quoi bon crier. Je dois lui faire confiance. Elle est sans doute allée surprendre le sale monstre par derrière, pour me protéger, pour éloigner cette bête à cornes pointues de mon chemin... C'est bien !

Ces os à mes pieds ? Ceux d'un chien ? Ce petit crâne pourrait bien être celui d'un enfant !

Oh ! Suzanne, je pleure, oui, je pleure. C'est l'enfant que nous aurions voulu, oui, oui, oui, l'enfant que « tu » souhaitais. Oh ! Suzanne, tu avais raison, un enfant nous aurait peut-être sauvés... Et le voici mort, à mes pieds. Le monstre à corne a dévoré ses chairs, il ne m'a laissé que les os. Oh! Suzanne, regarde, je le berce. Je berce ses os dans mes deux bras de mauvais père. Suzanne, pardonne-moi. Regardez, monstres, oiseaux de malheur, reptiles inconnus, grenouilles sans nombre, je suis pire que le pire des monstres. Regardez l'enfant né d'un amour de misère et de pauvreté... Regardez ce qu'il en reste...

Qu'est-ce que j'ai... je suis fou ! Non, j'ai toujours aimé les mélodrames ! Voilà ce que je dois faire de ces os : les lui lancer à la figure à cette sale bête qui m'épie... Tiens, tiens... et tiens ! Elle n'a pas bougé, mais les oiseaux se sont affolés de mes pleurs et de mes cris !

— Où suis-je ?

— Enfer ! Enfer ! Enfer !

Qui a crié cela ? Qui a osé ? Je serais mort, moi, avant d'avoir pu rencontrer Ubald ? C'est impossible. Je ris et je veux m'arrêter de rire, je ne peux pas... Cette bête à cornes serait le diable ? Ah ! Ah ! Elle est bien bonne : l'enfer, ce n'est pas boisé ! Ah ! Ah ! Je me souviens de mon petit catéchisme : il y aura des flammes, du feu partout, et pas de fougères trempées...

— Enfer ! Enfer !

Oui, oui, sale oiseau, fais-moi peur si cela t'amuse ! Ah ! mon bon gros ange a repris sa place. Il est revenu. Je viens. Je vais t'aider à combattre cette bête à cornes si elle se met en tête de nous attaquer. Tu vas voir que je sais me défendre. Je n'en serai pas à ma première bagarre !

* * *

Un avion passe au ciel. Je vois les petites lumières rouges, clignotantes, et j'entends son vrombissement. Je ne suis pas en enfer ! Un avion a passé. Le monde existe encore. Je ne savais plus où j'étais ; dans le fond d'un trou ou au sommet d'un pic élevé, hors du monde ! Ce passage d'un avion me calme un peu. Je cherche un arbre plus gros, assez fort pour que je puisse y grimper. En voici un aux branches solides, mais je n'ai pas la force de monter dedans. Il faut pourtant que je retrouve mon chemin de sable. Approchons-nous résolument de la bonne bête immobile. La bête à cornes s'agite... Le vent se lève en même temps. Tout bouge avec agressivité autour de moi... Je recommence à m'affoler. Rien n'est plus horrible que tous ces bruits venant de l'invisible, de la parfaite noirceur. Je m'attends, à chaque instant, à voir surgir quelque chose à quatre pattes, à deux pattes, à cornes, à bois, à griffes, à sabots, à deux têtes, à douze bras... Ma nervosité et ma grande fatigue me font imaginer la présence sournoise d'une foule grouillante de bêtes connues et inconnues qui m'épient. Tous ces bois me semblent habités d'une multitude d'êtres nocturnes, guettant des égarés comme moi !

Le bon monstre immobile : c'est ma cabane, mon abri de sable, de pelles et de lanternes ! Je m'écrase dedans, exténué de ma méfiance et de mes guets inutiles. Je réussis à allumer une autre lanterne, puis une autre. A mesure que j'en allume, je me sens réconforté. J'en pose autour de moi. J'en accroche à l'extérieur, sur tous les murs de l'intérieur. Je me sens un peu mieux. Le chant monotone des grenouilles, des grillons et de toutes les petites bêtes des bois, me semble moins agressif. Je me suis habitué à ces croassements, cela m'endort...

* * *

« Je ne pouvais pas reposer tranquille, tout recommence ! Les bruits s'amplifient. La tête du monstre, de l'autre, le haut monstre à cornes, apparaît dans l'embrasure de la petite porte de ma cabane, puis il s'éloigne... Driftman est sur son dos avec Suzanne qui s'agrippe à lui. La bête affreuse galope sur un chemin de sable bien battu qui s'efface à mesure qu'ils sont passés. Ils sont déjà rendus si loin qu'ils ne font plus

*qu'un point à l'horizon... Le point a cessé de se rape-
tisser. Il grossit, il revient vers moi ! C'est un énorme
bœuf tout noir qui fonce sur moi. Il soulève une poussière blanche qui m'empêche de voir qui est derrière
lui, dans une petite charrette à deux roues. Je vais me
faire écraser, tuer ! Brusquement, l'énorme bœuf noir
s'arrête. La poussière blanche retombe, aspirée par ses
énormes narines.*

C'est Ubald, c'est lui, il vient me délivrer...

— Tu es venu ! Ubald, tu n'as pas changé !

*Il me regarde durement. Il croise les bras et ne dit
rien.*

*— Mais, Ubald, tu me reconnais, non ! C'est moi,
ton petit chenapan ! C'est moi Ubald. J'allais chez
toi et je me suis égaré !*

*Il descend de sa charrette, lentement, ne cesse de
me fixer d'un regard de glace, de condamnation. Il se
penche et se place une longue perruque de cheveux
blancs sur la tête. J'en ris.*

*— Mais Ubald, qu'est-ce que tu fais ? Tu es drôle
avec cette perruque de... de juge ! De juge ? Pourquoi,
Ubald ? Tu es juge ? J'en ai de la chance ! Toi, mon
juge ? Ça me va !*

*Il ne rit pas, lui. Il redresse la charrette, la met
debout et y ajuste une poutre qu'il cachait dedans.
Puis, il me regarde de nouveau et hoche la tête.*

*— Quoi ? Quoi ? Ubald, qu'est-ce que c'est ? Tu
dresses une potence, toi ?*

*Il sort un maillet de la gueule du bœuf, et frappe
sur la charrette. Le bœuf s'est accroupi près du gibet.
Ubald vient près de moi. Il me fait signe de sortir de
la cabane. Je sors à quatre pattes, j'ai envie de japper,
de japper très fort, de demeurer ainsi, à quatre pattes,
comme un chien. J'ai envie de jouer moi aussi puisqu'il joue, ce cher Ubald.*

— N'est-ce pas que c'est un jeu, Ubald ? C'est un

*jeu pour me distraire, pour me faire patienter ? Pour
me faire peur ?*

Le bœuf noir me fait signe affirmativement de sa
grosse tête cornue. Je me relève.

— Ubald, il dit vrai ?

Il met la main sur mon épaule et tire un peu sur
la corde qui se trouve toujours à mon cou. Il en défait
le nœud, l'enlève et la jette au bœuf qui la mange
en souriant. Puis celui-ci crache un bout de câble :
heureux, il agite la queue et branle la tête. Ubald
noue le câble autour de mon cou en se penchant car
il est très grand !

— Ai-je rapetissé, Ubald, ou est-ce toi qui as grandi ? Oh, Ubald, tu es un enfant ! Qu'est-ce que tu t'es
mis sous les bottines ? ces deux blocs de bois, ça n'est
pas sérieux !

Il me pousse vers l'échafaud dressé. Il me prend
sous les bras et me monte sur le dos du bœuf assis.
Il m'attache les deux mains avec des lanières de cuir !

— Mais enfin, Ubald, qu'est-ce que tu vas faire ?
Tu veux me pendre ?

Il s'approche du bœuf et lui met une cagoule noire,
soudain lui enlève, et la tête du bœuf se transforme.
Il tourne la tête vers la potence-charrette et me regarde
avec un visage en tous points ressemblant à celui de
monsieur Driftman ! Ubald lui remet vite la cagoule,
puis il va grimper derrière la charrette et attache le
bout de câble à la potence. Je reste debout sur les
reins du bœuf-Driftman.

— Ubald, tu m'écoutes ? Je ne te reconnais plus !
Je dois d'abord subir mon procès !

Il sourit un peu, d'un seul côté du visage. Il re-
descend et va prendre le bœuf par le cou, il lui parle
à l'oreille, puis il se relève et va dans la cabane. Il
referme la petite porte sur lui.

— Ubald, tu es fou ! Le bœuf peut se lever et
partir. Ubald ! Je serai pendu ! Ubald, viens vite me

détacher, vite. Cette bête peut s'en aller d'un moment à l'autre. Ubald, cesse ce jeu ridicule. Oh ! Ubald ! Le feu, le feu prend à la cabane. Je t'entends secouer la porte ! Tu ne peux plus l'ouvrir ?

— Les flammes montent vite autour de l'abri de bois.

— Ubald qu'as-tu fait ? Seul ce bœuf peut te délivrer avec ses énormes cornes. Un coup de tête et tu es sauvé ! Qu'as-tu fait, Ubald. Tu vois, il ne fallait pas me ligoter ainsi. C'est moi ou toi... Eh bien, Ubald, je t'aime assez malgré ce que tu viens de faire, je t'aime assez pour te délivrer. Oui, ce sera moi. Je donne des coups de pieds à ce taureau du diable pour qu'il se lève et aille te délivrer... Enfin, il remue. Adieu Ubald !

Ça n'a pas fait mal... Je suis enterré dans le sable. Ce feu... je brûle. Ah ! je suis en enfer. Je vais cuire comme un gentil poulet mais je ne me consumerai pas car c'est pour l'éternité ce feu. Je devrais donc commencer tout de suite à m'y habituer. Oh ! je ne m'habituerai jamais. Cela fait mal, me brûle réellement les doigts, réellement ! »

* * *

J'ai failli brûler vif. Une des lampes à pétrole a dû mettre le feu au bois de cette cabane pendant mon sommeil. Je suis sorti à temps. Je suis encore tout suintant et de la chaleur des flammes et de ce rêve.

L'aube, mais oui, l'aube est là, debout comme moi ! Je te salue clarté ! Clarté du matin : délivrance. Adieu bêtes invisibles, oiseaux de malheur, cauchemars odieux ! C'est maintenant que je vais retrouver mon père Ubald, le vrai, pas celui de ce songe affreux où il se déguisait en juge et exécuteur des « hautes œuvres ».

Le vrai père Ubald m'attend, de l'autre côté de ces bois, au milieu de ses collines de pommiers, et il me dira en riant, la pipe entre les dents :

— Fais le tour large ! Fais le tour large !

Montons la côte !

Qu'il est beau ton petit pays, Ubald ! Enfin, je la vois ta maison, là-bas avec ses volets de bois rouge. Tu as fait poser de la brique du côté du Nord, mais je la reconnais par toutes ces petites niches d'oiseaux qui sont toujours là, décorant ton toit.

Qu'il est beau, le lac, loin en bas, avec ses plages dorées. Je me souviens du premier matin, ici même, debout dans ta charrette, tu me tournais la tête et tu disais :

— Regarde d'où tu viens là-bas, c'est Montréal. Tu vois le dôme de l'oratoire Saint-Joseph, la tour de l'université ? C'est là ! Des belles bâtisses, hein ?

Puis, tu crachais, comme toujours, et tu ajoutais :

— Là-bas, vous ne voyez rien. Nous, ici, on voit tout le pays !

Je descends la côte, père Ubald, et j'ai hâte de te voir ! J'ai faim, j'ai soif, j'ai mal dormi mais je suis heureux et mon cœur bat comme il battait à dix ans, lorsque j'arrivais chez toi, prêté par l'école de réforme, pour le temps de la récolte !

CHAPITRE DIX-HUITIÈME

C'est Ubald qui parle en bas, dans la cuisine. Il a une bonne voix calme et chaude, vraie. J'aime l'entendre jaser. Je l'écouterais tous les soirs. Sa voix me dit que tout va bien, que je peux dormir tranquille.

Les rares fois que ma mère me permettait de coucher chez Jules Richard, un petit ami, j'étais transporté de joie, et je ne savais pas pourquoi. Mais tout ce dont je me souviens de ces heureuses permissions spéciales, c'est les voix des parents de Jules. Ils parlaient durant des heures. Souvent, la mère de Jules disait : « Taisons-nous ou allons causer dehors pour ne pas réveiller les enfants ». Mon cœur se serrait. Je ne voulais pas. J'aimais m'endormir à la musique quiète de leurs voix.

Ce soir, c'est le même effet. Je suis bien de les entendre, et comme chez les Richard, je n'écoute pas ce qu'ils disent. Je ne veux entendre que cette sorte de ronronnement. Mais il y a toujours ce mot qui revient : « police » ! Pourquoi ? Ce mot affreux, avec la voix d'Ubald, me fait mal. Je me dresse sur mon grabat et j'écoute.

— Je te répète que j'ai prévenu la police de St-Eustache. Pourquoi as-tu peur ma vieille ? Tu le connais. Il a changé ? Mais non. Je savais qu'il finirait mal. Je le savais. Il ne pouvait faire autrement. Il était malheureux en ville. Ce n'est qu'ici, l'été, qu'il se sentait bien... J'ai mal au ventre de l'avoir dénoncé. Que veux-tu, on ne peut pas courir le risque... Ils viendront sûrement au petit matin comme je l'ai demandé... Je voulais pas qu'il me voie. Ça lui ferait mal. Je l'enverrai au verger. Il sera tranquille. Il ne

se doute de rien. Ils le prendront là-haut... Et moi, je
ne verrai pas, je ne veux rien voir !...

Ce n'est pas vrai ! J'ai mal compris ! Oh, Ubald !
Pourquoi ? C'est la première fois que je tremble si
fort. Je vais descendre, lui expliquer, lui parler ! Il
n'a pas compris, il ne m'a pas compris ! Au fond,
je ne suis pas très étonné de ce qui m'arrive. Non,
plus j'y réfléchis, plus je comprends que ce qui m'arrive est la suite logique de tout ce que j'ai pu constater depuis mon arrivée ici. Ubald, il m'a semblé, ne
portait plus son bon visage d'autrefois. Il a vieilli. Il
a mal vieilli. Je ne trouvais plus ce même calme sur
son sourire et dans ses yeux. Ses mains aussi tra-
hissaient une sorte de perpétuel énervement. La maison
de bois de jadis, s'était entourée de murs de briques
rouges. La cheminée s'était rapetissée et modernisée.
On avait enlevé le foyer énorme du vivoir, et cette
grande cuisine au parquet si propre, est devenue
une pièce exiguë avec tous ses appareils électriques,
ce réfrigérateur, ces laveuses automatiques. Ubald regardait le sol, tristement. J'aimais tant ce regard, ce
port de tête altier et paisible, il fixait toujours l'horizon,
il regardait toujours au-dessus de ma tête... Il ne
m'a plus parlé de la température avec ses drôles d'ex-
pressions, ses certitudes, ses indices cocasses de la
venue d'un orage, d'une pluie de trois jours, ou d'une
vague de chaleur de deux semaines :

— Euh ! deux semaines... peut-être plus, peut-être
plus... Regarde les feuilles, elles baissent, elles veulent
échapper à la chaleur, elles tirent sur la terre em-
magasiner de la « fraîche »... Ouais, ça sera peut-être
trois semaines... les moineaux s'excitent... les hirondelles
volent par en bas... ce sera long, ouais, pas mal long...

Ubald, que t'ai-je fait ? Je ne t'ai rien dit... Tu
pouvais me garder... longtemps, feindre de ne rien
connaître, ignorer tout de ces derniers jours gris comme
de petits nuages... Peut-être ai-je eu tort de ne rien te

raconter. Je peux me reprendre. Tout en neuf. Oui,
je vais descendre et lui dire :

— Ubald, nous recommençons. Je retourne à la bar-
rière de ton chemin, et comme ce matin, je reste planté
là, comme une souche, c'est toi qui m'as dit ça :

— Reste pas là, planté comme une souche, viens !

Et j'irai, comme ce matin. Je m'approcherai de
toi, debout sur ton perron et tu me regarderas avec des
yeux d'amitié, de curiosité, des yeux remplis de souvenirs... et tu ne pourras m'empêcher d'avoir les yeux
mouillés de larmes et tu me diras encore :

— Où as-tu appris à brailler chenapan ?

— Il n'y a pas longtemps ! Depuis que ça va si mal...
Et c'est tout ce que je t'ai dit, alors Ubald, à partir
de là, nous recommençons. Quand tu jettes ta main
dans mes cheveux et que tu me brasses la tête comme
si j'étais toujours ce petit « bum » de la grande ville
qui vient prendre l'air et t'aider aux foins, là, je retiens
ta main, je l'enlève, je m'asseois sur le bord de la
« galerie » et je te dis : Ubald j'ai fait des folies !
Tu ne peux pas savoir. Je vais tout te raconter. Tu
te souviens peut-être de cette fille avec qui j'étais ?
Je suis passé par ici, avec une grosse bagnole bleue...
Tu sais, j'ai été salaud, je ne me suis arrêté qu'une
minute, je ne te regardais même pas, je n'ai pas accepté
de descendre et d'entrer chez toi qui m'invitais si
gentiment. Que veux-tu, j'étais fou, malade, je brûlais
l'existence par les deux bouts, j'avais bu, pas mal, un
peu trop ! Je ne sais plus ce que je t'ai dit, des âneries...
Oh, Ubald, ce soir-là, je crois que nous nous sommes
moqué de toi, Suzanne et moi ? Non ? Tu es sûr ?
Elle, elle a été... non ? pas trop joué à l'adorée ? Elle
faisait toujours comme ça devant les gens pour les
faire enrager, pour se faire envier, je ne sais pas...
Elle me sautait au cou ? Elle ne songeait qu'à m'embrasser. Tu étais mal à l'aise. Oui, je m'en souviens,
soudain, tu as tourné le dos et tu es parti sans me

saluer ! Et j'ai ri... très fort pour que tu m'entendes
bien, pour que tu ne saches pas que j'avais mal de
te voir t'en aller si brusquement. Comme je regrette
cette visite insensée. Tu voulais me parler, tu avais
quelque chose à me dire... Je le sais maintenant...
Et je suis demeuré une pauvre minute à rire et à faire l'idiot, sans même te regarder ; si, une seule fois,
en arrivant, le temps de t'apostropher : « Salut vieil
homme, pas encore décédé ? » Ubald ! Toi, mon vrai
père. Toi qui, en un mois d'été, me faisais plus de bien
que tous ces éducateurs spécialisés en onze mois. Toi,
je le sais maintenant, qui essayais de me forger un
caractère d'homme vrai, qui tentais de me léguer ton
calme, ta paisible philosophie, ton amour de la terre,
de la nature, de la vie...

Eh bien Ubald, tu dois me recevoir, me cacher,
tu entends, me cacher ! Tu me le dois puisque tu
n'as pas réussi à me convaincre, à me calmer, à
m'apaiser. J'ai tué cette fille qui riait tout le temps,
qui chaque fois que je lui parlais de toi, me disait :
« Quand finiras-tu de m'ennuyer avec les histoires
de ton deuxième père ? » Ubald, je voulais aller vivre comme toi, à la campagne. Cela me prenait souvent, ce goût de t'imiter. Une fois par mois au moins !
Elle se moquait de moi, me ridiculisait, me découra-
geait. Ubald, tu as manqué ton coup avec moi. Je
t'accuse, je suis fou hein, je t'accuse de m'avoir raté.
Toi, et tous les autres.... mais pour toi, c'est plus
grave car tu as essayé plus fort que mes parents, plus
fort que mes juges et mes éducateurs spécialistes,
bien plus fort que mes amis des tavernes et des ca-
barets. Ubald, maintenant, je l'avoue, je serai un bien
meilleur élève. Je t'écouterai, ferai tout ce que tu
me diras, penserai comme tu voudras que je pense.
Je te le promets Ubald. Tu me verras changer complètement. Entre tes mains, je ne serai plus qu'une
balle de pâte à modeler... Surtout s'il est tard pour

recommencer... très tard pour mieux faire... il n'est
pas trop tard, tu m'as toujours dit cela, qu'il n'est
jamais trop tard...

Elle, que j'aimais tant, je l'ai noyée pour toi...
je l'ai noyée et je ne le regrette pas. Elle était mauvaise... très méchante. Tu ne peux savoir Ubald.
Tu ne connais pas les gens de la ville. Tu ne peux
pas imaginer tout ce qu'elle m'a fait. J'étais exténué
de... souffrir pour elle, à cause d'elle, et, je suis franc
maintenant, de la faire souffrir aussi... Parfois, au
milieu de nos crises, de nos coups, de nos larmes,
de nos enivrements... nous nous regardions ensemble
sans nous faire souffrir, sans nous faire mal... Et chaque
fois, cette idée de la tuer, m'apparaissait comme la
seule solution... Nous délivrer de cette misère m'a
fait un grand soulagement et je sais qu'elle est heureuse
quelque part : fleur ou arbre... Tu souris Ubald ! A dire
vrai, je ne te demande rien d'autre que de me laisser
te suivre... partout. C'est tout, je me ferai tout petit, tu
verras. Tu te retourneras pour être certain que je suis
encore et toujours avec toi...

*　*　*

J'en ai assez... ce n'est plus un petit nuage gris
qui vient sur moi... c'est un grand soleil tout noir
bien plus fort. Je ne vais pas demeurer ainsi, couché,
à rêvasser à ce que j'aurais dû lui raconter pour l'appri-
voiser, ce vieux singe, non. Pendant que je cherche
des mots, lui, il complote avec sa vieille des moyens
de me livrer sans trop se faire souffrir... Ah, tu t'en iras
et tu les laisseras me passer les menottes ? C'est ce
qu'on va voir. Attends, ce soleil d'enfer qui me rentre
dans le cœur qui m'envahit, sera assez fort pour te
terrasser, toi, superbe philosophe de fumier et de mer-
des de vaches... Regarde-moi descendre l'échelle du
grenier, tu ne me reconnais plus... Vous vous taisez

maintenant. Fini, le doux ronronnement de la sale petite conjuration, elle, elle était déjà partie dans sa chambre, ta douce et tendre vieille moitié moisie ! Elle fait bien, j'irai la trouver là quand j'en aurai fini avec toi. Cet astre qui me colle au dos comme un magnifique bouclier, me donne des ailes terribles... Tu le vois bien... Tu te frottes les mains dans ta chaise berçante. La télévision achève de montrer les images de son dernier long métrage. Fais l'innocent, regarde le beau mélo franco-italien. C'est ta dernière histoire... Accroche-toi bien à ces acteurs inconnus, demande-leur du secours, qu'ils te prennent dans leur drame à eux, dans leur tragédie pour rire... Tu les implores des yeux pour te protéger, de suspendre leur jeu pour regarder le nôtre. Tu fais bien, ils vont prendre une « sacrée » leçon de réalisme ; du grand vérisme, ils vont en voir dès j'aurai mis la main sur toi. Traître, tu oses me jeter un coup d'œil :

— C'est une histoire d'amour qui finit mal !

Mon grand soleil pourri a fait deux pas en arrière. Tu ne m'auras plus, tu ne m'auras pas !

— Ubald, tu n'entends pas ton chien qui hurle dehors ? Tu n'as pas vu ? Ton chat s'est sauvé sous la table ?

— Les animaux sont plus fins que moi.

Ce sera ta dernière belle phrase mon écœurant, mon très cher père adoptif, ta dernière phrase simple, toujours avec ta bonne voix paisible sur un beau ton calme...

— Ils ne me prendront jamais Ubald, pas vivant !

— Je le savais bien, fiston !

Ah, salaud, comme avant, le coup du fiston, celui que tu n'as jamais eu. Mon soleil est devenu tout bleu, mais tout de suite, redevient plus noir que la suie. Tu achèves, Ubald ! Ne fais pas l'innocente proie, la victime zélée, tu sais que je suis allé derrière toi et que ce n'est pas pour aller prendre l'air... mais tu me dis tout de même :

— Referme la porte, pour les moustiques !

C'est vrai Ubald, je pourrais m'en aller, tout simplement. Tu as raison. Et je sais que tu ne ferais
rien pour m'en empêcher... Mais il y a sur moi un
grand cercle, une large tache qui me soutient, qui
me pèse dont il faut que je me soulage... Il le faut !
Oh !... que j'ai mal !

*   *   *

Cette corde a servi à quelque chose. Ubald, mon
vieux père, tu fais aussi un beau mort, tu as toujours
été beau, Ubald. Tu comprenais, mon vieux je ne pouvais pas te laisser vivre, tantôt. Tu aurais continué
d'être heureux et paisible, sans moi. « Tantôt, » je
ne pouvais pas admettre cela. Maintenant, je ne sais
plus ! Le grand soleil m'a quitté, s'en est allé rejoindre
les nuages gris, est parti m'attendre ailleurs ! Sois
tranquille, ta vieille s'est endormie, n'a rien entendu.
Elle ne se réveillera pas avant demain. Alors, elle
passera encore une bonne nuit... Salut Ubald, sois
content, tu ne pourras plus trahir personne. Tiens, voici
ton chat, le poil encore raide. Je le dépose sur tes
genoux... Adieu !

*   *   *

Bravo, les grillons, chantez-lui un beau service !
L'air est encore bon à respirer, c'est un vrai miracle...
Là, vraiment, je me sens soulagé. Je n'ai plus personne,
personne au monde. Plus rien, là je suis vraiment seul.
Ça n'a pas été long à faire table rase. Là, je ne crains
plus personne. Là, enfin, je vais pouvoir commencer à
me venger, sans m'en faire. Je vais tuer vraiment. Car
maintenant, je ne sais plus où aller. Maintenant, il
n'y a plus d'asile, plus de cachette, plus de retraite...

Je n'aurai plus besoin de nuages, ni de soleil noir.

Ubald, puisque je t'aimais, il fallait bien te tuer. Qui veut d'un grand soleil noir comme un parapluie triste ? Qui en veut ? Car moi, je m'en vais très loin. Oui, il faut que je parte, en pleine nuit. J'ai beaucoup à faire, il y a mon vieux père dans son hospice misérable, il y a ma mère, quelque part, dans un bouge sans nom. Aurai-je le courage de me venger de tous ? Je n'ai plus de ressort. J'ai envie de tout pardonner.

*   *   *

Ah ! il y a encore quelqu'un sur mon chemin. Pas déjà ? Ubald avait pourtant dit demain matin ? Il vous avait fait promettre, demain matin ! Bon je veux bien... attendez-moi... la carabine d'Ubald fera l'affaire... Retournons au grenier...

*   *   *

Où tirer sur une automobile arrêtée ? C'est vaste... Quelle belle vue de ce grenier ! Tirons n'importe où puisqu'il s'agit de se faire tuer... Ne faisons pas de manières, j'ai été si mal élevé... mais c'est consolant de savoir que j'achève d'être mal élevé !

FIN

(Hiver 1960)

Achevé d'imprimer
en mars mil neuf cent soixante   quatorze
sur les presses de l'Imprimerie Gagné Ltée
Saint-Justin - Montréal, Qué.